LA
P...

MANUAL PRACTICO

DE

HOMILETICA

Kittim Silva

EDITORIAL
UNILIT

MIAMI, FL. 33172

Publicado por
Editorial **Unilit**
Miami, Fl. 33172
Derechos reservados

Primera edición 1995

Citas Bíblicas tomadas de Reina Valera, (RV) revisión 1960
© Sociedades Bíblicas Unidas

Las opiniones expresadas por el autor de este libro
no reflejan necesariamente la opinión de esta Editorial.

Producto 498448
ISBN 1-56063-502-9
Impreso en Colombia
Printed in Colombia

Contenido

En reconocimiento

Al doctor Samuel Vila, un decano entre los escritores latinoamericanos y un pionero de la literatura evangélica. Durante mis primeros años de conversión sus libros contribuyeron a mi formación teológica.

Al Reverendo Guillermo Valentín, uno de los pioneros pentecostales en la ciudad de Nueva York, quien a pesar de su avanzada edad continuó sirviendo a la comunidad cristiana.

Al evangelista Jorge Rashke, cuyas predicaciones en una contextualización social, han despertado la conciencia de la iglesia latina.

Al evangelista Yiye Avila, porque a lo largo de los años ha estado tocando una trompeta de alerta para la Iglesia de Jesucristo.

Al estudiantado del Programa de Certificado del Seminario Teológico de Nueva York, para los cuales originalmente desarrollé los capítulos de este libro como conferencias al curso de homilética que allí dicto anualmente.

Sobre todo, a mi Señor y Salvador Jesucristo, porque sin la ayuda de El, nada pudiera hacer, menos aún, escribir este libro. A El sea toda la gloria.

Nuestro credo social

Creemos en Diòs, Creador del mundo; y en Jesucristo, Redentor de la creación.

Creemos en el Espíritu Santo, a través de quien conocemos los dones de Dios, y nos arrepentimos del pecado que cometemos al usar nuestros dones con fines idólatras.

Creemos que el mundo natural es obra de Dios, y nos consagramos a su preservación, a su mejoramiento y a promover su buen uso por la humanidad.

Recibimos con regocijo, para nosotros mismos y para los demás, las bendiciones de la comunidad, la sexualidad, el matrimonio y la familia.

Nos consagramos a la defensa de los derechos de los hombres, de las mujeres, de los niños, de los jóvenes, de las personas mayores y de aquellos que tienen limitaciones físicas; nos comprometemos al mejoramiento de la calidad de vida; y a proteger los derechos y la dignidad de las minorías raciales, étnicas y religiosas.

Creemos que cada persona tiene el derecho y el deber de trabajar por su propio bien y el de la comunidad, y que tiene derecho a la protección de su bienestar mientras lo hace; creemos que el derecho de propiedad nos ha sido confiado por Dios, como también el contrato colectivo y el consumo responsable; además, que debemos luchar por la eliminación de la miseria social y económica.

Nos consagramos a trabajar por la paz en el mundo y por el dominio de la justicia y la ley entre las naciones.

Creemos en la victoria presente y futura de la Palabra de Dios en los asuntos humanos, y aceptamos con alegría nuestro cometido de poner de manifiesto en el mundo la vida del evangelio.

AMEN

(Traducido de The Book of Discipline of The United Methodist Church, 1980 página 104, número 76.)

Prólogo

¿Por qué he escrito un libro sobre homilética? Con esta pregunta comenzaré a plantear la razón y el para qué de este libro. Es innegable que la bibliografía sobre manuales de homilética es prolífica, por lo tanto un libro más sobre este tema no significaría mucho para algunos. Pero he escrito este libro no para aumentar la extensa bibliografía ya existente, sino con la finalidad de poder compartir con aquellos amantes de la homilética, las reflexiones que a manera de conferencias ya he compartido con mis estudiantes del Seminario Teológico de Nueva York y del programa de Bachillerato en Teología del Instituto Bíblico Internacional en Queens, Nueva York.

Por algunos años había acariciado la idea de escribir un tratado detallado de mis propias reflexiones homiléticas, a los aportes que distinguidos colegas ya han ofrecido. No pretendo de ninguna manera el poder pavimentar la ancha avenida de la homilética. Pero espero que mi aportación, aunque pequeña, no sea insignificante a nuestra generación de predicadores.

Soy un aficionado de la homilética, vivo enamorado de esta herramienta para la comunicación de la Palabra de Dios. Mi formación homilética ha sido influenciada por colegas como el doctor Samuel Vila, el doctor José A. Caraballo, el doctor Cecilio Arrastía, el fallecido doctor Orlando E. Costas y otros. Pero en el proceso de los años he desarrollado e implementado algunos procedimientos en la tarea de la predicación.

Por lo tanto este tratado homilético refleja mi largo peregrinaje en la carretera de la predicación.

El lector se dará cuenta de que cito a varios colegas durante las reflexiones que expongo. Por ejemplo, cito la definición que Orlando E. Costas y José M. Martínez ofrecen sobre la predicación, luego comienzo a reflexionar sobre dichas definiciones y el resultado es que intento aclarar y ofrecer una definición desarrollada de lo que significa la predicación.

Luego analizo el método homilético del doctor Cecilio Arrastía, donde integra los conceptos de LOCALIZAR, INVADIR e ILUMINAR. La homilética de Arrastía no es la tradicional. Tuve el privilegio de tener a este doctor como profesor de homilética. Pocos predicadores poseen la profundidad analítica como él. Es un príncipe del púlpito latinoamericano.

Para mí el libro del doctor Samuel Vila, "Manual de homilética", es clásico. En mis principios de la manera en que se debe hacer la interpretación homilética, se evidencian los rasgos de la influencia del colega Vila.

Un libro que siempre he leído y releído ha sido el de C. H. Spurgeon, "Discursos a mis estudiantes". Me era imposible tratar la homilética sin incluir algunos pensamientos del "príncipe de los predicadores".

Los ejemplos homiléticos de cómo hacer bosquejos los he tomado de mis dos libros "Bosquejos para predicadores", publicados por la Editorial CLIE. El lector podrá leer los mismos, más desarrollados, buscando las notas bibliográficas que le indiquen en qué páginas de mis libros están.

Finalmente, le doy gracias a usted como lector por la oportunidad que me ofrece de poder compartir estas inquietudes homiléticas. Así que le invito a que se goce en la lectura y uso de este libro.

Kittim Silva

1

La predicación, su significado y su lugar bíblico

Es imprescindible que en un estudio serio de la homilética no comencemos el mismo sin un conocimiento somero de la predicación. Antes preguntemos: ¿Qué es la predicación? ¿Cuál es su significado? ¿Qué lugar debe tener en el programa bíblico? Por lo tanto es de desear que no miremos o consideremos a la predicación como una disciplina más en el "curriculum" de una preparación religiosa. La misma dentro del propósito salvífico divino forma parte integral del plan que en Jesucristo fue desarrollado para que Dios entrara en una cita histórica con el ser humano.

I. La predicación

La predicación es divina-humana. Esta viene de Dios, a través de los hombres o mujeres, para hombres y mujeres. Esta dicotomía divina-humana se descubre a lo largo de toda la historia bíblica. Dios por medio de instrumentos humanos entró y entra en diálogo con sus criaturas racionales.

Por ejemplo, los diez mandamientos fueron divinos en su procedencia y contenido, pero por intermedio de Moisés (el elemento humano) llegan al pueblo. El ministerio sacerdotal es otra ilustración de esta gran verdad bíblica. El sumo sacerdote se constituía en el gran representante de los hombres ante Dios y de Dios ante los hombres. En el idioma latín sacerdote se lee "pontifex", cuyo significado es constructor de puentes. El sacerdote tenía como función servir de puente entre Dios y los hombres. En nuestro Señor Jesucristo tenemos el verdadero "pontifex" o "sumo sacerdote" (Hebreos 2:17; 3:1; 4:4; 6:20; 7:25; 9:11). Por medio de su sacrificio nos ha llevado a justas relaciones con Dios (Romanos 5:1). El escritor a los hebreos dice: "Porque hay un solo Dios, y un solo mediador entre Dios y los hombres, Jesucristo hombre" (1 Timoteo 2:5).

En la persona de Jesucristo se descubre una vez más este principio divino-humano. Aun su propio nombre compuesto: Jesucristo integra su misión terrenal (Jesús-Salvador) con su misión divina (Cristo-Ungido-Mesías). El apóstol Juan declara: "En el principio (eternidad) era el Verbo (griego, Logos), y el Verbo (Logos) era Dios (griego, Theos)" (Juan 1:1). Aquí se resaltan tres verdades escatológicas: Primero, la eternidad del Logos, "En el principio era el Verbo". Segundo, la comunión y relación divina, "y el Verbo era con Dios". Tercero, la naturaleza divina y deidad, "y el Verbo era Dios".

Luego en Juan 1:14 leemos: "Y aquel Verbo (Logos) fue hecho carne, y habitó entre nosotros (y vimos su gloria, gloria como del unigénito del Padre), lleno de gracia y de verdad". En Jesucristo se une el Theos (Dios) con el anthropos (hombre). Dios por medio de Jesucristo se hace tangible y visible al ser humano.

El término Logos significa: verbo, palabra y pensamiento. Jesucristo es la Palabra de Dios hecha carne. El Padre por intermedio del Hijo se comunica y entra en relación con el mundo.

La Biblia, la Palabra de Dios escrita para todos, es divina-humana. Dios la inspiró, pero hombres divinamente escogidos la escribieron usando su propio estilo literario (2 Timoteo 3:16).

Por lo tanto es de esperarse que la predicación sea divina-humana. El Dios que con voz audible habló a Adán, Eva, Caín, Noé, Abraham y a otros personajes bíblicos, todavía continúa hablando por medio de la predicación. Los métodos de Dios de hablar al ser humano han sido muy variados: voz audible, truenos, relámpagos, vientos, la nube de su gloria, la llama de fuego, silbido apacible, el profeta, sueños, visiones, urim y tumín, escritos sagrados, visitaciones angelicales y muchas otras maneras.

El escritor de Hebreos en el capítulo 1:1-2 nos declara al particular:

> *Dios, habiendo hablado muchas veces y de muchas maneras en otro tiempo a los padres por los profetas, en estos postreros días nos ha hablado por el Hijo, a quien constituyó heredero de todo, y por quien asimismo hizo el universo.*

Hasta ahora lo que he querido decir es lo siguiente: Dios emplea el elemento humano para entrar en conversación con la humanidad. Jesús fue la Palabra divina hecha carne por medio de la cual Dios habló a la humanidad. La Biblia es la Palabra de Dios inspirada a hombres santos por la cual Dios continúa hablando. La predicación cristiana no es sino un evento divino-humano en el cual Dios usa seres humanos que han sido llamados y comisionados como instrumentos para transmitir este mensaje al hombre.

II. Su significado

En los párrafos anteriores argumenté un poco del propósito de la predicación cristiana. Ahora seré más preciso en definir la predicación tomando en cuenta la opinión que al particular han aportado algunos colegas. Sobre dichas declaraciones formularé algunas reflexiones que sé serán de provecho. Las mismas nos ayudarán a tener una definición propia de la predicación cristiana.

1. Orlando Costas define la predicación así:

"De igual manera, la predicación recibe su autoridad de parte de Dios. Esa autoridad se desprende del hecho de que es un mensaje que está arraigado en lo que Dios ha dicho. Aún más, es un hecho que la autoridad inherente de la predicación es el resultado de la presencia misma de Dios en el acto de la predicación. La predicación es autoritaria porque el que predica no es el hombre, sino Dios a través del predicador, de modo que la palabra predicada viene a ser verdaderamente Palabra de Dios".[1]

En su definición, Costas, quien fue un gran exponente del texto bíblico, señala las siguientes características de la predicación:

Primero: *La autoridad de la predicación* "es de parte de Dios". Lo que distingue a la predicación cristiana de cualquier otra clase de discurso es esa realidad. El predicador no se apoya en sus argumentos persuasivos, lógicos o retóricos para dar base autoritaria a la predicación. Más bien expone el mensaje respaldado por la autoridad que Dios le ha conferido. La predicación sin la autorización divina es hueca, sin propósito, un simple discurso vacío o un ejercicio homilético.

Esa autoridad no se recibe por la disciplina homilética. La misma tiene que venir directamente de Dios. Los predicadores que han sido usados para comenzar revoluciones espirituales, han sido aquellos que han ministrado en la autoridad del Señor.

Segundo: *De acuerdo a Costas* "esa autoridad se desprende del hecho de que es un mensaje que está arraigado en lo que Dios ha dicho". Predicar no es otra cosa sino dar un mensaje de parte de Dios. Por lo menos eso es lo que se espera de un predicador. El predicador es un mensajero con la tarea de dar a otros el mensaje que Dios le ha conferido. El mayor peligro y la peor presunción es dar nuestro mensaje y no el mensaje de Dios. Cuando el mensajero se predica a sí mismo, hablando de sus hechos y experiencias a expensas de los hechos y dichos de Dios, corre el grave peligro de predicar su propio evangelio.

Pablo, el gran teólogo de la iglesia cristiana dijo algo que se relaciona con el punto que está bajo consideración: "mas os hago saber, hermanos, que el evangelio anunciado por mí no es según hombre; pues yo ni lo recibí ni lo aprendí de hombre alguno, sino por revelación de Jesucristo" (Gálatas 1:11-12).

El mensaje de Dios tiene que llegar por revelación divina. No se produce en la mente del razonamiento humano. Dios lo tiene que dar. El apóstol no pretende en sus palabras restar importancia a la preparación homilética en el evento de la predicación. Pero sí da por sentado que el mensaje que tiene que predicarse tiene que venir de arriba.

La homilética no es un conducto o receptor para recibir el mensaje divino. Es más bien un proceso, una herramienta, un medio, o la manera de poder transmitir el mensaje divino a los seres humanos. La misma no es un fin sino un medio para alcanzar un fin.

La predicación vacía del mensaje de Dios conduce a la proclamación de un "evangelio diferente" (Gálatas 1:6), o al anuncio de "otro evangelio" (Gálatas 1:8). Lo que alguien le ha llamado "el evangelio según san yo".

Muchos predicadores basan sus argumentos en lo dicho por Barth, Burtlman, Calvino, Lutero, Wesley, Tillich, Dietrich. Bonhoeffer y otros teólogos en general. La autoridad máxima del predicador del evangelio no es la escuela filosófica del pensamiento contemporáneo o escuela del pensamiento teológico, tampoco el credo eclesiástico de la denominación o los principios dogmáticos y tradicionales. La autoridad del mensajero cristiano es respaldada "en lo que Dios ha dicho". Es decir, en la Palabra escrita: La Biblia. Predicar sin estar arraigados en la revelación escrituraria es ¡Voz de Dios y no de hombre! (Hechos 12:22).

Tercero: *El predicador es un medio, "el que predica no es el predicador, sino Dios a través del predicador".* Si los predicadores reconocieran que no es su predicación sino la predicación del Señor....

En una ocasión alguien le dijo a Juan Bunyan: "Ha predicado un buen sermón". Su respuesta desconcertante fue: "El diablo ya me lo dijo mientras bajaba del púlpito".[2]

El conocido predicador Spurgeon dijo:

> "El mensaje de Dios merece toda mi capacidad; y cuando lo transmito, debería estar allí todo mi ser; ninguna parte del mismo debe extraviarse o dormirse. Algunos, cuando suben al púlpito no están allí".[3]

Muchos, después de una predicación regresan a sus hogares frustrados y desanimados. Esperaban diferentes resultados. Quizás habían pecadores y no respondieron a la invitación de salvación. Los creyentes enfermos aunque escucharon el llamamiento por sanidad divina hicieron caso omiso. Nadie los felicitó por la predicación.

El predicador debe recordar que el mensaje es de Dios. Por lo tanto, los resultados de la predicación le pertenecen a El. Toda esa psicología de altares llenos por la habilidad del predicador no son los verdaderos resultados producidos por el evangelio. Sé de muchos predicadores que si el altar no se llena después de sus predicaciones emplean cualquier artificio para satisfacer su propio ego. A Dios eso no le agrada. El es Dios y sabrá cómo y cuándo obrará.

Cuarto: *El propósito es que la palabra predicada y la palabra de Dios sean lo mismo. Costas afirma: "de modo que la palabra predicada viene a ser verdaderamente palabra de Dios".*

¿Cuándo habla Dios en su sermón o en una predicación? Es una pregunta muy difícil de contestar. El predicador muchas veces está sin conocimiento natural de lo que Dios está haciendo o diciendo. En otras ocasiones los predicadores están conscientes de lo que Dios está diciendo y haciendo. Pero de alguna manera en el evento de la predicación mucho de lo que expresa el predicador es verdaderamente la Palabra de Dios. Es decir, Dios habla directamente usando la voz del predicador.

2. José M. Martínez define la predicación:

> "Es la comunicación, en forma de discurso oral, del mensaje divino depositado en la Sagrada Escritura, con el poder del Espíritu Santo y a través de una persona idónea, a fin de suplir las necesidades espirituales de un auditorio".[4]

Primero: *Martínez considera la predicación como "comunicación en forma de discurso oral".* El predicador no escribe para el pueblo sino que oralmente anuncia al pueblo. Más que todo, la tarea de predicar es tarea de hablar y no de escribir. Aunque no negamos la eficacia de los sermones escritos para ser leídos. Pero sí estamos conscientes de que la unción hablada es de efectos más profundos que la escrita. Por tal razón no estoy de acuerdo con los predicadores que escriben sus sermones para leerlos ante una audiencia. El sermón o predicación debe realizarse ante una situación verdadera y concreta. No niego que en otras situaciones, como por ejemplo en la radio, el sermón escrito es más efectivo y comprendido. Pero aun así el elemento de la voz le añade un toque especial. Cuando un predicador está ante una audiencia visible e inmediata, es imprescindible comunicar efectivamente el mensaje de manera natural y espontánea.

Debido a que la predicación es comunicación, todo predicador necesita aprender las diferentes técnicas para comunicar. La comunicación es tanto natural (empleándose la personalidad y la voz del comunicador) como mecánica (equipos y medios de comunicación).

Segundo: *Martínez ve la predicación como la comunicación oral "del mensaje divino depositado en la Sagrada Escritura".* La predicación tiene que ser bibliocéntrica. La Biblia no sólo le da contenido a la predicación sino que le da autoridad. Es en la Biblia donde se basa el predicador para la exposición del evangelio. Aunque un sermón para ser bíblico no tiene que estar necesariamente basado en la interpretación de un pasaje bíblico particular, sino en la revelación bíblica.

Pero aun empleando la Biblia, el predicador debe saber llegar al significado del texto. Muchos sermones no pasan de ser una "ensalada textual" o un "sancocho homilético". Lo que hace el predicador es atar cabos con versículos bíblicos. De un pasaje bíblico salta al otro y al otro como si fueran lianas espirituales. Al fin y al cabo deja a su audiencia en el aire. Es mejor que el predicador invite a sus oyentes a entrar por la puerta de la revelación de un texto bíblico y no que se asomen a las ventanas de muchos textos bíblicos. Los textos bíblicos no deben ser extraídos con un "bisturí espiritual", para luego poner sobre ellos un significado y un uso que no es el debido. Un buen predicador sabe sujetarse al texto sin rodar dentro del mismo.

Tercero: *Otro elemento de la definición que se está analizando es: "con el poder del Espíritu Santo".* Predicar sin la ayuda del Espíritu Santo es como querer apagar un fuego sin agua. El poder del Espíritu Santo lo adquirirá el predicador en su recinto privado o en la práctica diaria de una vida devocional.

Pablo decía:

> *Así que, hermanos, cuando fui a vosotros para anunciaros el testimonio de Dios, no fui con excelencia de palabras o de sabiduría, ... y estuve entre vosotros con debilidad, y mucho temor y temblor; y ni mi palabra ni mi predicación fue con palabras persuasivas de humana sabiduría, sino con demostración del Espíritu y de*

poder, para que vuestra fe no esté fundada en la sabiduría de los hombres, sino en el poder de Dios.

1 Corintios 2:1-5

Lo que muchos predicadores necesitan en nuestros días es más poder que palabras. Ese poder no llegará a no ser que haya una entrega total y completa a la persona del Espíritu Santo. Es El el que da unción al predicador. Cuando los predicadores dejen que el fuego del Espíritu Santo los queme por dentro habrá humo por fuera. Las predicaciones estarán saturadas de poder (Hechos 1:8; Romanos 1:16). Prediquemos llenos de poder y cosas de parte de Dios sucederán a nuestro alrededor.

En Hechos 4:31 leemos:

Cuando hubieron orado, el lugar en que estaban congregados tembló; y todos fueron llenos del Espíritu Santo, y hablaban con denuedo la palabra de Dios.

El secreto de una vida de poder en los apóstoles Pedro y Juan y la iglesia de los primeros días estaba en el poder que recibían del Espíritu Santo. Con ese poder tenían el valor necesario para predicar (Hechos 4:33), y ser acompañados de señales.

Cuarto: *Martínez ve la predicación como un mensaje divino, "a través de una persona idónea".* Sobre este particular quiero citar algunos dichos de Spurgeon:

"Sea cual fuere el 'llamamiento' que alguien pretenda haber recibido, si no ha sido llamado a la santidad, puede asegurarse que no lo ha sido al ministerio".[5]

"Cuán horrible es ser predicador del evangelio y no estar sin embargo convertido".[6]

"Mejor es eliminar los púlpitos, que ocuparlos con hombres que no tienen un conocimiento experimental de lo que enseñan".[7]

"Nosotros necesitamos que se tenga por ministro de Dios a la flor y nata de las huestes cristianas, a hombres tales que si la nación necesitara reyes, no pudieran hacer cosa mejor que elevarlos al trono. Nuestros hombres de espíritu más débil, más tímidos, más carnales, no son candidatos a propósito para el púlpito".[8]

El púlpito debe ser usado por hombres y mujeres nacidos de nuevo, que hayan recibido el llamamiento para servir en el ministerio de la predicación. La iglesia cristiana a lo largo de los siglos ha sido vilipendiaba por hombres y mujeres que no han sido dignos de llevar el reconocimiento de ser llamados "hermanos".

El ministerio no es una profesión en el sentido usual del término. Es una vocación divina. No es el hombre o la mujer que optan por ser predicadores, sino Dios es el que los llama a la tarea de la predicación. Muchas denominaciones han fracasado porque al buscar los requisitos para el ministerio consideran más la disciplina académica graduada antes que el verdadero llamamiento de Dios. Por eso hay denominaciones que están llenas de doctores en esto y aquello, pero carecen de ministros de corazón, que estén dispuestos a darlo todo por la obra del Señor. Ministran más bien por un contrato que por el llamado del Señor.

Quinto: *Martínez dice que el predicador ha sido llamado "a fin de suplir las necesidades espirituales de un auditorio".* El predicador tiene que tener en mente que el pueblo al cual se le envía a ministrar está en necesidades espirituales. Se me hace difícil distinguir o separar una predicación presbiteriana de una bautista. Una predicación metodista de una pentecostal. Una predicación luterana de una anglicana. Una predicación de los discípulos de Cristo de una reformada.

En una ocasión fui invitado a predicar a una congregación de una conocida denominación histórica. El ministro amigo mío me dijo: "Hermano, no se olvide que no nos puede predicar un sermón pentecostal sino un sermón X". Me costó trabajo el poder prepararme para un sermón denominacional. Opté por predicar como siempre lo había hecho. Desde luego me cuidé de las etiquetas de mi propia tradición y de respetar la manera litúrgica como se adoraba en dicha congregación. Dios se movió e hizo como quería. Al finalizar, mi amigo y compañero de ministerio me dijo: "Kittim, Dios te usó mucho". Le susurré al oído, "No se lo digas a nadie, prediqué un sermón pentecostal". Ambos nos echamos a reír.

El predicador no predica su denominación o filiación religiosa sino a Cristo. Nuestra tarea no es la de hacer prosélitos en otras denominaciones evangélicas sino alcanzar a los pecadores con el evangelio de salvación y edificar con el mensaje a nuestros hermanos en la fe. La experiencia cristiana es de más importancia que los apellidos denominacionales.

Pablo dijo:

Pues me propuse no saber entre vosotros cosa alguna sino a Jesucristo, y a éste crucificado.

1 Corintios 2:2

Muchos fracasos en la predicación se deben al hecho de no tener en mente las necesidades espirituales y convivenciales de la audiencia. El evangelio es pregunta y es respuesta (Exodo 3:11-12; Isaías 6:8; Hechos 9:4-5; 16:30-31). Por lo tanto es importante contestarnos pregunta a qué y respuesta a qué.

Cuántos predicadores malgastan el tiempo de la predicación tratando de explicar a sus oyentes que lo que están leyendo no es lo correcto conforme al original griego. El empleo del griego en el texto bíblico es importante en la exégesis correcta. Pero el griego también puede ser un instrumento satánico para que predicadores liberales y controversiales jueguen con definiciones aisladas para inyectar sobre el texto sagrado su propia postura.

Un ejemplo de lo antes dicho lo encontramos en Lucas 7:25 donde leemos:

> *Mas ¿qué salisteis a ver? ¿A un hombre cubierto de vestiduras delicadas? He aquí, los que tienen vestidura preciosa, y viven en deleites, en los palacios de los reyes están.*

Leamos ahora 1 Corintios 6:9 donde dice:

> *¿No sabéis que los injustos no heredarán el reino de Dios? No erréis; ni los fornicarios, ni los idólatras, ni los adúlteros, ni los afeminados, ni los que se echan con varones.*

El término griego en ambos casos es "malakos". Recuerdo a un profesor mío que tratando de justificar la homosexualidad jugó con este término. Según él "malakos" no describe a alguien con tendencias homosexuales sino a cualquier persona débil y de un comportamiento delicado. Pero aun así a la luz del contexto los tales están excluidos del reino de Dios.

Por eso el predicador debe cuidarse de no hacerle daño al texto bíblico. La mayoría de nuestra gente no habla bien el español. ¿Por qué confundirlos más con un idioma que sería más provechoso para el estudiante seminarista?

Otros se preparan para llegar a cierto grupo particular de la audiencia. Su meta es impresionar y saber la buena opinión de ese grupo a expensas de los demás. ¡Eso no es predicar! El predicador tiene que comunicar el mensaje divino a toda la audiencia.

En todo ejercicio homilético el predicador debe tener en su corazón al pueblo que le ministrará. Algunas preguntas que debe hacerse ante Dios son: ¿Por qué les quiero hablar de este tema? ¿Para qué les voy a hablar? ¿Será eso lo que Dios desea para ese pueblo? ¿Cuáles son las necesidades espirituales de esos oyentes? ¿Hablará Dios a través de mí a su pueblo y al que no lo es?

III. Su lugar bíblico

Aunque ya había mencionado algo sobre la Biblia y el predicador en la predicación, ahora daré unos cuantos martillazos en el clavo de esta gran verdad: La Biblia es la fuente de las predicaciones cristianas. En la Biblia se descubre el lugar que en el andamiaje de la redención tiene la predicación.

1. En Romanos 10:13-15 leemos:

> *Porque todo aquel que invocare el nombre del Señor, será salvo. ¿Cómo, pues, invocarán a aquel en el cual no han creído? ¿Y cómo creerán en aquel de quien no han oído? ¿Y cómo predicarán si no fueran enviados? ¿Y cómo oirán sin saber quien les predique? Como está escrito: ¡Cuán hermosos son los pies de los que anuncian la paz, de los que anuncian buenas nuevas!*

Dios puede salvar al pecador a través del medio que a El le plazca escoger. Pero la predicación en esta economía divina es el método por el cual la Palabra de Dios (la revelada en la Biblia o la que viene por la revelación al espíritu), al igual que la Palabra viva (Jesucristo), se predica a los seres humanos.

Pablo introduce cuatro interrogantes a manera de ironía. La primera enseña que para invocar al Señor hay que creer en él. La segunda señala que para creer en el Señor hay que oír de él. La tercera afirma que para oír del Señor alguien lo tiene que anunciar. La cuarta es explícita: sólo los que son enviados pueden predicar el evangelio.

En resumidas cuentas, el pasaje enseña el lugar que la predicación tiene como medio de dar a conocer el evangelio, mediante la exposición de la Biblia. En la Biblia está el evangelio y el evangelio es Jesucristo.

Todos los creyentes hemos sido llamados a testificar de Jesucristo y a proclamar el reino de Dios aquí en la tierra. En los evangelios esto se conoce como la gran comisión (Mateo 28:16-20; Marcos 16:14-18; Lucas 24:36-49; Juan 20:19-23). Sin embargo Dios ha escogido de en medio de la Iglesia a un grupo de hombres y mujeres con la tarea específica de ser portavoces y anunciadores del evangelio.

2. En 1 Corintios 1:21 leemos:

> *Pues ya que en la sabiduría de Dios, el mundo no conoció a Dios mediante la sabiduría, agradó a Dios salvar a los creyentes por la locura de la predicación.*

Para los griegos la predicación era una locura. La escuchaban con sospechas. Ellos no podían concebir en sus ideas a un Dios que pudiera experimentar emociones y que pudiera asumir forma humana. Así era el Dios que predicaban los cristianos en la persona de Jesucristo. Hoy en día el mundo continúa considerando la predicación como una locura. Se piensa de los predicadores como individuos con perturbaciones mentales. Los cuales viven en un mundo de irrealidades y fantasías religiosas.

Pero a Dios le ha placido escoger la predicación para llevarle la gran noticia al mundo de que en Jesucristo hay salvación y esperanza, no sólo para esta vida sino para la por venir. Por medio de la predicación El ha extendido su brazo salvador para rescatar al ser humano de su miseria espiritual. Aunque muchas de las cosas de Dios parezcan locuras, no por eso se deben rechazar. De Jesús dijeron sus contemporáneos: "Está fuera de sí (Marcos 3:21). El Testamento Nueva Vida dice: "Está loco".

Escuché en una ocasión al conocido evangelista internacional Raymundo Jiménez decir: "Sólo Dios llama a un loco como yo y a un cariduro de Fajardo". Nuestro hermano

Raymundo al igual que su hermano Eugenio han predicado el evangelio de Jesucristo en casi toda Latinoamérica. En la actualidad es director de H.C.C.N., la cadena de Hispanos comunicando a Cristo a la nación. El Señor les ha concedido un espacio de horas por televisión. Muchos radioyentes de Nueva York, Nueva Jersey y algunas ciudades de Connecticut saben del ministerio de Radio Visión Cristiana. Por la gracia de Dios soy miembro de su Junta Directiva en la capacidad de presidente. Un grupo de ministros movidos por la locura de la predicación están difundiendo por radio el mensaje de Jesucristo 24 horas diarias con un presupuesto que está en los cinco millones anuales. ¿De dónde sufragan esos gastos que alcanzan varios millones de dólares anuales? De la ayuda generosa y voluntaria de la audiencia radial. ¿No es esto una locura de la predicación?

La predicación es para muchos una locura. Pero en medio de esa locura la teocentralidad y la bibliocentralidad se transforman en milagros irrefutables que convencen al mundo de que Dios es real y lo que se predica es verdad.

Dios usa y usará la predicación en su propósito divino para llegar a los corazones humanos. Además en la predicación los creyentes son nutridos por medio de la exposición bíblica en la fe cristiana.

La Biblia no presenta substitutos para la predicación. Los programas que se desarrollan en las congregaciones son para complementar la predicación. Ninguna actividad eclesiástica debe tomar el lugar céntrico de la predicación. Las congregaciones tienen que dejar de ser "clubes eclesiásticos" y dar la primacía a la predicación.

Son muchas las denominaciones en la actualidad que están convertidas en "cementerios eclesiásticos". Lo único visible en ellas es su lápida histórica. Sencillamente se han olvidado de la predicación bibliocéntrica de sus fundadores. La Biblia, para sus pastores, ha dejado de ser la Palabra de Dios. La predicación tiene que retornar a nuestros púlpitos y nuestros ministros tienen que volver a ser predicadores.

BOSQUEJO

Introducción:
¿Qué es la predicación? ¿Cuál es su significado? ¿Qué lugar debe obtener en el programa bíblico?

La misma dentro del propósito salvífico forma parte de un plan, que en Jesucristo fue desarrollado para que Dios entrara en una cita histórica con el ser humano.

I. La predicación:

1. La predicación es divina-humana. Esta viene de Dios a través de los hombres y mujeres para los hombres y mujeres.

2. Jesuscristo es divino-humano. En él se une el Theos (Dios) con el anthropos (hombre).

3. La Biblia es divina-humana.

4. La predicación es divina-humana porque Dios habla místicamente por medio de ésta.

II. Su significado:

1. Orlando E. Costas la definió así: "De igual manera, la predicación recibe su autoridad de parte de Dios. Esa autoridad se desprende del hecho de que es un mensaje que está arraigado en lo que Dios ha dicho. Aun

más, es un hecho que la autoridad inherente de la predicación es el resultado de la presencia misma de Dios en el acto de la predicación. La predicación es autoritativa porque el que predica no es un predicador, sino Dios a través del predicador, de modo que la palabra predicada viene a ser verdaderamente palabra de Dios" ("Comunicación por medio de la predicación". Editorial Caribe, p.23).

A. La autoridad de la predicación "es de parte de Dios".

B. "Esa autoridad se desprende del hecho de que es un mensaje que está arraigado en lo que Dios ha dicho".

C. El predicador es un medio, "el que predica no es el predicador, sino Dios a través del predicador".

D. El propósito es que la palabra predicada y la palabra de Dios sean lo mismo. Costas afirma: "de modo que la palabra predicada viene a ser verdaderamente palabra de Dios".

2. José M. Martínez define la predicación: "Es la comunicación, en forma de discurso oral, del mensaje divino depositado en la Sagrada Escritura, con el poder del Espíritu Santo y a través de una persona idónea, a fin de suplir las necesidades de un auditorio" ("Ministros de Jesucristo, Tomo XI - Vol. 1, Editorial Clie, p.103).

A. Martínez considera la predicación como "comunicación, en forma de discurso oral". Más que todo la tarea de predicar es tarea de hablar y no tarea de escribir. La comunicación es tanto natural como mecánica.

B. Martínez ve la predicación como la comunicación oral "del mensaje divino depositado en la Sagrada Escritura". La Biblia no sólo le da contenido a la predicación sino que le da autoridad. Un sermón para ser bíblico no tiene que estar necesariamente basado en la interpretación de un pasaje bíblico particular, sino en la revelación bíblica. Muchos sermones no pasan de ser una "ensalada textual" o un "sancocho homilético".

C. Otro elemento de la definición que se está analizando es: "con el poder del Espíritu Santo". El poder del Espíritu Santo lo adquirirá el predicador en su recinto privado o en la práctica diaria de una vida devocional. Cuando los predicadores dejan que el fuego del Espíritu Santo los queme por dentro habrá humo por fuera.

D. Martínez, ve la predicación, como un mensaje divino, "a través de una persona idónea". El púlpito debe ser usado por hombres y mujeres nacidos de nuevo.

E. Martínez dice que el predicador ha sido llamado "a fin de suplir las necesidades espirituales de un auditorio". El predicador tiene que tener en mente al pueblo al cual se le envía a ministrar y pensar en sus necesidades espirituales. El evangelio es pregunta y respuesta (Exodo 3:11-12; Isaías 6:8; Hechos 9:4-5; 16:30-31). Por lo tanto es importante contestarnos preguntas a qué y respuesta a qué.

En todo ejercicio homilético el predicador debe hacerse algunas preguntas ante Dios: ¿Por qué les quiero hablar de este tema? ¿Para qué les voy a hablar? ¿Será eso lo que Dios desea para ese pueblo? ¿Cuáles son las necesidades espirituales de esos oyentes? ¿Hablará Dios a través de mí a su pueblo y al que no es su pueblo?

III. Su lugar bíblico:

1. Léase Romanos 10:13-15.

   A. Dios puede salvar al pecador a través del medio que a El le plazca escoger. Pero la predicación en esta economía es el método por el cual la palabra de Dios (la revelada en la Biblia o la que viene por la revelación al espíritu), al igual que la Palabra viva (Jesucristo), se predica a los seres humanos.

   B. En la Biblia está el evangelio y el evangelio es Jesucristo.

2. Léase 1 Corintios 1:21.

Notas bibliográficas

1. Orlando Costas, Comunicación por medio de la predicación. Editorial Caribe, p. 23.

2. William Barclay, El Nuevo Testamento (Mateo I, vol. 1). Editorial La Aurora, p. 116.

3. C.H. Spurgeon, Un ministerio ideal (2. El Pastor - Su mensaje). Editorial El Estandarte De La Verdad, p. 33.

4. José M. Martínez, Ministros De Jesucristo (Tomo XI - vol. 1).

5. C.H. Spurgeon, Discursos a mis estudiantes. Casa Bautista De Publicaciones, p. 9.

6. Ibid., p. 10.

7. Ibid., p. 12.

8. Ibid., pp. 16-17.

2

La predicación y
la tarea del predicador
como comunicador

Comenzaré este capítulo estableciendo como axioma que la predicación es comunicación. El escritor Myron R. Chartier ha dicho sobre la comunicación:

> Algunas teorías definen la comunicación como la transmisión de información, ideas, emociones y destrezas, por el uso de símbolos, palabras, cuadros, figuras y gráficas. En este sentido predicación sería transmisión de un mensaje de Dios, palabra de Dios, por el predicador al feligrés.
>
> Otras teorías de la comunicación explican ésta como el vehículo por el cual el poder es ejercido. Desde esta perspectiva, predicación es ejercitar influencia social o control, en la cual el predicador trae o busca traer las creencias, actitudes, valores y comportamientos de los oyentes en conformidad con la Palabra de Dios.[1]

Por lo tanto, la buena predicación es aquella que apoyada sobre el vehículo de la homilética, puede llevar un mensaje a su oyente inmediato. La buena comunicación es recíproca, establece diálogo e influencia sobre los oyentes. Siempre tiene un "para qué" y un "por qué".

Ante esta realidad es entonces necesario que entendamos algo sobre la comunicación y el comunicador, que en este caso lo será el predicador. Predicar es revelar la voluntad de Dios a través de un predicador al oyente. Esto es predicación hablada, porque también tenemos predicación escrita.

El predicador es aquel que ha sido llamado a comunicar un mensaje de Dios. Por decirlo así es Dios, que a través de una PERSONA o sea el predicador, se comunica con PERSONAS, o sea los oyentes.

La comunicación exige que haya un mensajero, un mensaje y un receptor. El mensajero es el predicador con un mensaje basado en la Palabra de Dios que va dirigido al oyente que es el receptor. Consideremos al predicador como comunicador.

I. Su personalidad

Se define la personalidad como: "Carácter original que distingue a una persona de otra". La personalidad suya y la mía nos hace únicos y distintos de cualquier otro ser humano. Por algunos años fui agente de seguros de vida. Durante esos años aprendí que un buen vendedor es aquel que vende primero su personalidad. Con nuestra personalidad atraemos o repelemos, interesamos o desinteresamos, damos credibilidad o despertamos dudas.

1. Un buen comunicador es sincero.
No niego que personas no sinceras hayan tenido algún éxito como comunicadores. Pero el mismo ha sido de corta duración.

Los mejores comunicadores son aquellos que han transmitido sinceridad a sus oyentes aunque hayan estado equivocados. Por algunos años he estado ministrando a través de la radio. Soy anfitrión del programa evangélico "Retorno". Muchos se han identificado conmigo por medio de la voz.

Algunos me han dicho: "Hermano, cuando usted habla yo sé que es sincero. Pero otros en la radio me dan la impresión de que no lo son". Sencillamente, esta clase de oyentes captan sinceridad en algunos comunicadores y en otros no. El mentir, exagerar, adular, impresionar, y estar vendiendo la imagen con el fin de convencer a los oyentes, es algo indigno y falta a la ética de la comunicación. No se necesita tener que inventar historias para buscar la atención de los oyentes. El emplear una voz artificiosa para ganar la simpatía emocional de los oyentes como instrumento de manipulación comunicativa es inaceptable y detestable en un predicador del evangelio de Jesucristo.

Un predicador debe ser sincero en lo que dice, cómo lo dice, lo que hace y cómo vive. Al pueblo de Dios no se le debe engañar con cifras infladas de conversión, poniéndose el predicador como el héroe de las predicaciones. Hay que huir del exhibicionismo clerical y evangelístico.

Spurgeon decía: "Llegar a parecer muy fervientes en el púlpito, no significa gran cosa a menos que vivamos mucho más intensamente cuando estamos a solas con Dios".[2]

2. Un buen comunicador es emocionalmente maduro.
La ambivalencia emocional del comunicador es un obstáculo en el proceso de la comunicación. Personas que sufren de los nervios o que se descontrolan emocionalmente no deben ser comunicadores. Con mayor verdad predicadores. La salud interna es necesaria para la predicación eficaz.

Aquellos que poseen personalidades quebrantadas no están capacitados ni maduros para predicar el evangelio a grupos de oyentes. Por personalidades quebrantadas me refiero a la falta de estabilidad emocional. Las depresiones agudas, el mal genio, el temor continuo, el sentido de culpa irreal, el complejo de inferioridad, el miedo a la crítica, el no aceptar la oposición, el abuso de autoridad, el miedo al fracaso, el no aceptar retos y muchas otras cosas más.

3. Un buen comunicador es aquel que tiene autocontrol de sus sentimientos.

Por ejemplo: Spurgeon experimentaba muy a menudo depresiones que podían durarle varios meses. Pero se descubre al leer sus sermones, que eran predicados de notas, y luego tomados en taquigrafía mientras los comunicaba, que en los mismos no hay indicio alguno de su estado sentimental.

Muchas predicaciones a veces son un simple ejercicio terapéutico para el predicador. Es difícil separar al mensajero del mensaje, al predicador del sermón, pero un buen comunicador aprende que para ser efectivo tiene que haber una dicotomía entre sus sentimientos y el mensaje bíblico. De lo contrario su comunicación estará distorsionada y no será eficaz.

El predicador que deja que sus sentimientos afecten la tarea de la predicación, presenta un mensaje distorsionado. Cuántas predicaciones explosivas saturadas de ira, prejuicios, falta de amor y aun odio son escuchadas desde muchos púlpitos evangélicos. El doctor Luciano Padilla Jr., un príncipe del púlpito en Nueva York, ha dicho:

> "Cuando me siento disgustado o molesto con la congregación no le predico. Lo que hago es invitar a otro que predique. Porque sé que en un estado como ése diré cosas de las cuales luego me arrepentiré de haberlas dicho, pero el daño ya está hecho".

Muchos desde el púlpito dicen a otros lo que no son capaces de decirle personalmente o en privado. Sobre esto Spurgeon dice: "Sin embargo no permitamos que nuestra predicación directa y fiel degenere en regaños a la congregación. Algunos llaman al púlpito "castillo de los cobardes". Tal nombre es propio en algunos casos, especialmente cuando los necios suben e insultan impúdicamente a sus oyentes, exponiendo al escarnio público sus faltas o flaquezas de carácter. Hay una personalidad ofensiva, licenciosa e injustificable que se debe evitar escrupulosamente, es terrena y debe ser condenada explícitamente: Pero hay otra que es prudente, espiritual y celestial, que se debe buscar siempre que prediquemos".[3]

4. Un buen comunicador es aquel que da atención a ciertos factores de su personalidad.

Orlando Costas dice:

"El predicador necesita, por tanto, preocuparse por lo que va a decir y por la manera cómo lo ha de decir; de lo contrario puede que predique una cosa y comunique otra".[4] Luego Costas añade: el predicador debe ser "tan importante como el sermón".[5]

El predicador según Costas tiene que considerar su relación con Dios, con su yo, con la Escritura y con el mundo.[6]

El primer factor es su relación con Dios. Aquel que ha sido llamado a la tarea de la predicación tiene que haber tenido una experiencia verdadera de salvación. Su ministerio se caracterizará por la sumisión voluntaria al señorío de Cristo. Jesús tiene que ser Rey y Señor de la vida del predicador. No se puede predicar un evangelio a otros que no ha sido experimentado por el que lo predica. Aquellos que son proclamadores del evangelio tienen que haber sido transformados por el contenido del mismo. De lo contrario ese predicador será "como metal que resuena, o címbalo que retiñe" (1 Corintios 13:1).

El predicador no puede ser un signo de interrogación en el ejercicio de la predicación. Lo que predica debe estar en armonía con lo que practica (Ezequiel 3:3-4; Apocalipsis 10:9-11). Lo que predica el domingo lo vive toda la semana.

La falta de unción en la predicación es el resultado de la ausencia de comunión entre el predicador y Dios. Spurgeon dijo:

"No debe conformarse con caminar al mismo paso que las filas del común de los cristianos; es preciso que sea un creyente maduro y avanzado, porque los ministros de Cristo han sido llamados con toda propiedad, lo más escogido, lo selecto de la iglesia".[7]

El segundo factor es su relación con el yo. El modelo interpersonal de conceptualización conocido como "La ventana Johari" ayuda a conocer el proceso de persona a persona. El nombre Johari encierra la suma de los dos exponentes de este principio Joseph Luft (Joe) y Harrington Ingham (Harry).[8]

La ventana Johari se divide en cuatro áreas dentro de un cuadrado que responden a lo que yo sé de mí; lo que yo no sé de mí; lo que otros saben de mí y lo que otros no saben de mí.

	Conozco	Desconozco
Conoces	Abierto	Ciego
Desconoces	Escondido	Desconocido

En la primera área de lo abierto se encuentra lo que compartimos con otros. Lo que nos interesa que otros se interesen de nosotros. En la segunda área de lo ciego, están aquellas cosas que otros descubren en nosotros, pero nosotros las desconocemos. La evaluación de las mismas hacen que otros se formen de nosotros su propia opinión.

En la tercera área de lo escondido tenemos aquellas cosas que sabemos de nosotros mismos pero las escondemos de los demás por diferentes razones. En la cuarta área de lo desconocido hay información sobre nosotros que no conocemos, pero otros tampoco conocen.

En resumen hay en nosotros un yo abierto, ciego, escondido y desconocido. A medida que una persona confía más en otra su yo se hace más vulnerable al revelar más de sí misma.

En una situación de comunicación la reacción (observación sentimientos) de otros nos ayudará a superar y ver dentro de nuestra área ciega.[9]

El tercer factor es su relación con la Escritura. El estudio sistemático y directo de la Biblia no se puede substituir con la lectura de libros que traten sobre ésta.

El predicador debe leer más la Biblia y conocerla, que el creyente promedio de la congregación. Es una tragedia el encontrarnos con tantos predicadores que bíblicamente son analfabetos. No conocen su Biblia, ni tampoco la saben emplear. A éstos se refirió Pablo cuando dijo:

> *Procura con diligencia presentarte a Dios aprobado, como obrero que no tiene de qué avergonzarse, que usa bien la palabra de verdad.*

2 Timoteo 2:15, RV-77

El predicador debe cuidarse de no caer en bibliolatría. La Biblia no es un objeto para adorarse sino para beneficiarnos de ella en su lectura y beneficiar a otros cuando se predica o enseña. La mayoría de los predicadores jamás han leído la Biblia completa. Un gran porcentaje de los mismos no le han dado lectura a todo el Nuevo Testamento. No olvidemos que la Biblia es el libro de texto del predicador.

El sacar textos de la Biblia con las pinzas de los criterios propios, no sólo es impropio, sino que revela la falta de reverencia a ésta. Todo texto bíblico debe ser considerado a la luz de su contexto inmediato y posterior.

El predicador que no ama la lectura habitual de la Biblia, es de aconsejarle, que se retire de este ministerio de la predicación. Es mejor ser un buen oyente que ser un predicador carente de contenido bíblico. Los predicadores mediocres son el mayor obstáculo en la proclamación del evangelio.

Muchos predicadores dan vergüenza en la manera como emplean el texto bíblico. Se inventan pasajes bíblicos y los canonizan dentro de la Biblia. Peor aún es la manera tan sutil como mutilan la Biblia en sus predicaciones. Son más "costureros" que predicadores.

El predicador tiene que sacar un tiempo dedicado a la lectura devocional de la Biblia. Es preferible que lo haga en las horas de la mañana. Pero esto no quita que de no serle posible, sea la razón que tenga, lo puede hacer en horas de la noche. Su amor a la Biblia le dará más contenido en su tarea de proclamación.

El cuarto factor es su relación con el mundo. El creyente está en el mundo pero no es del mundo (Juan 17:12-18; Santiago 4:4). De manera más clara, el creyente aunque coexiste con el mundo, no convive con el mundo.

Su separación con las normas y valores que en el mundo entran en contraposición con los intereses del Reino revela su posición cristiana (Daniel 3:15-21; 6:10; Hechos 4:17-20).

El predicador del evangelio no se puede dejar asimilar por las tentaciones del mundo, ni venderse a las ofertas que éste les hará.

Un predicador puertorriqueño el Reverendo Rafael Torres Ortega ha dicho; "Los hombres y mujeres de Dios son de una sola pieza".

Por otro lado el predicador no puede ser un avestruz clerical. Tiene que conocer al mundo al cual se le ha comisionado predicar (Marcos 16:15). Debe tener en su maleta ministerial algún conocimiento de antropología, sociología, psicología, teología y entender algo de la cultura de otros grupos étnicos. El no sacar tiempo para conocer la cultura de otros, obstaculiza al predicador en su tarea de la predicación. Costas le llama a la cultura la "herramienta comunicativa" del hombre.[10]

En el pasado, muchos misioneros cayeron en la falta de estar predicando un evangelio cultural. Antes de evangelizar al pueblo que ministraban, los culturizaban. A eso se debe que la religión haya sido rechazada, especialmente el cristianismo, porque se prestaba a ser un instrumento que facilitaba la opresión y la explotación. Jesús y su evangelio son transculturales. El mensaje cristiano no puede tener barreras culturales. En los anales genealógicos del Señor Jesucristo encontramos cuatro mujeres: Tamar (Mateo 1:3 ef. Génesis 38);

Rahab (Mateo 1:5 ef. Josué 2:1-7); Rut (Mateo 1:5 ef. Rut 1:4) y Betsabé (Mateo 1:6 ef. 2 Samuel 11 y 12). De estas mujeres Rahab había sido prostituta y era cananita. La otra Rut era moabita (léase Deuteronomio 23:3). Nuestro Señor transcendió las barreras culturales por medio de su descendencia. A lo largo de su ministerio lo encontramos derrumbando muros culturales y étnicos en Su misión salvadora (Marcos 7:26 ef. Mateo 15:22; Juan 12:20-26; Juan 4:9).

Lo más interesante es que en el Nuevo Testamento no se describe la apariencia física de ninguno de los apóstoles ni del Señor Jesucristo. La imagen de un Jesucristo rubio, de ojos azules y de figura atlética no es bíblica, nació de la mentalidad de pintores medievales.

En la epístola apócrifa Los Hechos de Pablo y Tecla se da una descripción de Pablo: "A lo lejos ellos vieron a un hombre viniendo (llamado Pablo), de baja estatura, calvo (o afeitado) en la cabeza, muslos virados, piernas hermosas, ojos hundidos; tenía una nariz virada; lleno de gracia; algunas veces se parecía a un hombre, otras veces tenía la semblanza de un ángel" (verso 7).

Un romano llamado Publius Lentulus, escribiendo al Senado romano dio una descripción de quien supuestamente era Jesús: "un hombre de estatura más bien alta; su pelo es de color castaño oscuro; ojos claros, que se desvían hacia afuera y abajo al modo oriental, cabello rizado que le cae sobre los hombros; y en medio de la frente lleva el pelo partido hacia cada lado; su frente es despejada y delicada; su rostro no tiene manchas ni arrugas, de color rosado subido; su nariz y boca curvadas; la barba espesa, del mismo color que el cabello, y no muy larga. Los ojos son grises, vivos y de mirada clara".

Esta descripción de Lentulus en cuanto a la apariencia física de este supuesto Jesús está en armonía con una pintura de mural del siglo V, que existe en la catacumba de Pedro y Marcelino en Roma.

De ninguna manera deseo que el lector vaya a pensar que enseño que Jesús haya sido así. Pero consideré interesante compartir con usted esta información. Ya que creo que son las descripciones más antiguas que se puedan tener de Jesús y de Pablo.

El apóstol Pablo dijo:

Ya no hay judío ni griego; no hay esclavo ni libre; no hay varón ni mujer; porque todos vosotros sois uno en Cristo Jesús.

Gálatas 3:28

Donde no hay griego ni judío, circuncisión ni incircuncisión, bárbaro ni escita, siervo ni libre, sino que Cristo es el todo, y en todos.

Colosenses 3:11

Notemos esa última declaración: "Cristo es el todo, y en todos".

El predicador necesita sentarse en el lugar donde están sus oyentes. Es decir necesita conocer sus inquietudes, sus necesidades, sus motivaciones, sus aspiraciones, su miseria, su dolor y todo aquello que los pueda afectar.

En Ezequiel 3:14-15 leemos:

Me levantó, pues, el Espíritu, y me tomó; y fui en amargura, en la indignación de mi espíritu, pero la mano de Jehová era fuerte sobre mí. Y vine a los cautivos en Tel-abib, que moraban junto al río Quebar, y me senté donde ellos estaban sentados, y allí permanecí siete días atónito entre ellos.

(Compárese con Job 2:11-13 e Isaías 6:5)

La gran diferencia entre un teólogo y un predicador radica en ese hecho de identificación. El teólogo se encierra en su cuarto de estudio o en la biblioteca y desde allí comienza a hacer teología. En cambio el predicador se sienta en medio del pueblo, y a la luz de su situación existencial reflexiona en la Biblia.

II. Su estilo

Ahora nos movemos al segundo punto de esta ponencia sobre el comunicador. La palabra estilo viene del latín "stilus". Los romanos empleaban una especie de punzón llamado "stilus" para escribir sobre tablas. Era una manera de grabar pensamientos. A través del estilo, un escritor u orador comunica su mensaje. Costas dice:

> "El estilo involucra el uso correcto de palabras arregladas y expresadas en una forma correcta".[11]

> "No puede el estilo separarse de las ideas ni del carácter mental del hombre", dice Juan A. Broadus, "el estilo no es sólo el vestido, sino la encarnación del pensamiento".[12]

El buen predicador se esforzará por mejorar su estilo. Procurará hablar un buen español evitando los barbarismos del idioma. El idioma primero se aprende de oído. Los primeros cinco años de nuestra vida escuchamos a otros hablar, de ahí se debe nuestro acento étnico y la manera de pronunciar ciertas palabras. Por ejemplo los caribeños muchas veces pronuncian la "r" como "1". Muchos en vez de decir "arma" dicen "alma". En el conjunto de la oración se puede entender lo que la persona quiere decir.

En otras regiones latinoamericanas se omiten todas las "s" al final de las palabras. También se emplean muchos diminutivos que a veces son innecesarios. Tenemos que respetar y no criticar las expresiones idiomáticas de otros grupos étnicos. Pero no por eso descuidaremos la manera más correcta de expresarnos en la belleza y pulcritud de nuestro idioma español. En un anuncio radial escuchamos estas palabras: "No descuidemos el español, el legado de nuestros padres".

El estilo no sólo tiene que ver con la pronunciación sino con la construcción gramatical. El idioma escrito y el hablado son muy diferentes en su articulación. Hay personas dichosas que pueden hablar así como escriben. Las reglas de acentuación son importantes tanto en el hablar como en la escritura. Pero las reglas de puntuación que en la escritura son imprescindible en el hablar no son tan necesarias. Aunque un buen orador sabe cuándo termina una oración para comenzar otra.

En la comunicación verbal no se habla en párrafos. No obstante las pausas y el empleo de frases y palabras apropiadas facilitan la comunicación. El predicador tiene que aprender a descansar mientras está predicando. Esto le evitará el quedarse ronco o afónico. Por otro lado al hacer pausas le dará descanso a los oyentes.

Un buen comunicador que habla en público es claro en su dicción, claro en sus ideas, sabe escoger figuras adecuadas de la retórica, sabe modular la voz y por medio de las palabras puede transmitir a sus oyentes lo que él en ese momento está experimentando. Cuando yo grabo para la radio me preocupo más por la manera en que pronuncio las palabras. La voz para la radio se mantiene a un mismo nivel. En público la voz sube y baja. Siempre preparo mis programas radiales con la ayuda de audífonos. Así puedo escuchar mi voz mientras grabo. Esto me ayuda a modular más correctamente. Los oyentes que escuchan por la radio prestan más atención a las pronunciaciones de las "s" y de las "r", que aquellos que están presentes y delante de un predicador.

Hay predicadores que yo digo poseen el "don de poner a dormir". Tienen sus notas preparadas y organizadas, pero en el momento de entregar el mensaje su estilo no los ayuda. Les hablan a una multitud como si les estuvieran musitando algo al oído. Ellos mismos no muestran el más mínimo interés en lo que dicen. Predican como si no creyeran lo que están predicando. Hablan del retorno de Jesucristo como si no lo estuvieran esperando. Enseñan de la oración como si no la estuvieran practicando. En realidad un predicador así no tiene mensaje. El entusiasmo en el orador es evidencia de que tiene algo para decir y lo está diciendo.

Ahora deseo citar algunas palabras de Spurgeon, que sé que pondrán a muchos de pie:

Los defectos físicos dan lugar a la duda acerca de la vocación de algunos hombres excelentes... Cuando el Señor se propone que una criatura corra le da piernas ligeras, y si se propone que otra criatura predique, le dará pulmones a propósito para ello. Un hermano que tenga que pararse en la mitad de una frase, para dar aire a sus pulmones, debe preguntarse a sí mismo, si no hay alguna otra ocupación que le sea más adecuada. Un hombre que apenas puede terminar una frase sin molestia, con dificultad puede ser llamado a "clamar en voz alta sin cesar". Puede haber excepciones; pero ¿no es de peso la regla general? Los hermanos que tienen bocas defectuosas y una articulación imperfecta no están por lo común llamados a predicar el evangelio. Esto mismo se aplica a los hermanos que carecen de palabras o de un perfecto tono.[13]

Según Orlando Costas el estilo retórico se determina por la cultura, el contenido del mensaje y la personalidad del comunicador, en este caso del predicador.[14]

Por otro lado Costas nos dice que la clase de auditorio o congregaciones es otro factor en el estilo retórico.[15] Las cinco congregaciones a las cuales se enfrenta un predicador son según él:

1. La que es apática.
Es totalmente neutral al escuchar el mensaje. El predicador tiene que llamar la atención de ésta con la variación y con un mensaje del día.

2. La que es crédula.
No rechaza la predicación porque cree en lo que dice el predicador. El tiene que vivir los diferentes personajes que predica y revelarlos ante la congregación.

3. La que es hostil.
Desconfía tanto del predicador como de lo que está predicando. El predicador no puede ser agresivo, dogmático, controversial o entrar en polémicas. Debe evitar el hablar con el

pastor antes del culto en la oficina. Tampoco debe dialogar con el ministro o con ningún otro en la plataforma.

4. La que duda.
Le da trabajo aceptar lo que el predicador dice sobre esto o aquello. El debe estar bien preparado, documentar y dar pruebas de lo que dice.

5. La que es mixta.
Es apática, crédula, dudosa y hostil. Esta es por lo general la congregación más común. El predicador necesita tener un estilo bastante variado, ser enérgico, estar bien documentado y tener gracia ante los oyentes.

III. Su voz

La voz es para el predicador lo que las tijeras son para el barbero o peluquero. Si algo debe cultivar y cuidar es la voz. Fluharty y Ross dicen de la voz: "Una buena voz es flexible y respondemos, teniendo suficiente variedad de acento, velocidad, y volumen para expresar no solamente los pensamientos del orador sino también su modo de ser, sentimientos y emociones. La voz debe ser apropiada a la edad, sexo y experiencia del orador. Debe ser suficientemente fuerte y con volumen para ser audible a los oyentes sin ser demasiado baja o irresistible. Debe ser clara y agradable, libre de asperezas, de problemas respiratorios o nasales, o de otros defectos como ruidosos. A los oyentes les gustan las voces que tienen una calidad agradable y simpática, que son adecuadamente ricas, llenan y son vibrantes y vivas".[16]

Spurgeon en su libro de homilética dedica un capítulo completo al asunto de la voz. Allí presenta una serie de reglas que bien valdría la pena hacerle algunas aplicaciones propias.[17] Y eso precisamente es lo que haré.

1. No se debe pensar mucho en la voz.
El hecho de tener voz y de carecer de contenido en la predicación es como tener un automóvil sin gasolina. El buen

predicador no sólo necesita tener voz, tiene que tener algo qué decir y saberlo decir.

2. No se puede dejar de pensar debidamente en la voz.

La voz contribuirá en alcanzar los buenos resultados de la predicación en los corazones de los que escuchan. Dijo Spurgeon: "Hermanos, en el nombre de todo lo sagrado, repicad con todas las campanas de vuestra torre y no fastidies a vuestros oyentes con el ruido disonante de una pobre y cuarteada campana".[18]

3. Hay que cuidarse de las afectaciones habituales y comunes.

El lenguaje empleado por el predicador en el púlpito debe ser real, natural y con un tono verdadero. Al particular, dijo Spurgeon: "Estoy persuadido de que estos tonos y semitonos, y monótonos, son babilónicos, y que no pertenecen al dialecto de Jerusalén, porque éste tiene un distintivo especial que es a saber: que cada hombre tiene su propio modo de hablar, y que habla de la misma manera en el púlpito o fuera de él."[19]

4. Hay que corregir las idiosincrasias de lenguaje desagradables al oído.

Debe hablarse con la boca y no con la garganta. Hay que tener la boca bien abierta al predicar y no medio cerrada. Deben pronunciarse las palabras completas y no entrecortadas o pronunciadas en sílabas.

5. Hay que hablar para ser oídos.

Debe hablarse con fuerza, con claridad, sin demasiada lentitud, tampoco con mucha rapidez y sin estar asfixiados. El predicador debe saber respirar entre pausas de manera natural sin que nadie se dé cuenta.

6. No debe usarse toda la voz en la predicación.

El gritar mucho afecta los pulmones y la laringe. Las palabras de Spurgeon son apropiadas: "No hagáis doler a vuestros oyentes la cabeza, cuando lo conveniente sería hacer que les

doliera el corazón. Cierto es que debéis procurar conservarlos despiertos, pero recordad que para esto no es necesario romperles el tímpano del oído".[20]
El predicador no debe esforzar su voz. Si predica a cien personas, no necesita gritar para hablarle a mil. Muchos predicadores predican un sermón y luego por toda la semana no pueden predicar nuevamente. La razón es que ellos mismos trataron mal a su garganta.
No hace mucho un joven predicador ministró a nuestra congregación. Al final hizo un llamamiento al altar según nuestra tradición religiosa. ¿sabe qué pasó? Me tuvo que entregar a mí el púlpito porque se había quedado sin voz. El que llamó a los enfermos para orar por ellos, ahora necesitaba la oración de sanidad por su garganta.
Hay muchos predicadores que se creen que la unción en la predicación está en los muchos gritos o en las carreras que den por la plataforma. Cuando el hombre o la mujer tiene un mensaje de Dios y lo ha preparado para entregarlo, no necesita la unción de la gritería sino la unción del Espíritu Santo.

7. Debe variarse la voz.
El predicador debe bajar y subir la voz según lo sienta hacer durante la predicación. Personalmente yo subo y bajo la voz conforme a como lo voy sintiendo. Nunca ensayo cuándo, dónde y cómo subir o bajar la voz. Spurgeon decía:

> "Y estoy seguro de que la enfermedad a que se le llama el dolor clerical de garganta, se puede atribuir generalmente al modo de hablar de los ministros, y no al tiempo empleado por ellos en predicar, ni a la violencia de los esfuerzos hechos por ellos".[21]

8. Debe acomodarse la voz a la naturaleza del asunto.
La voz debe estar en armonía con la predicación o la situación. Spurgeon mismo admitía que al viajar por Escocia o Gales, por algunas semanas, su pronunciación se afectaba. Existe la tendencia natural en el ser humano de imitar lo que

otros hacen y su manera de hablar. El predicador debe ser original. Antiguamente decíamos que las copias nunca salen claras. Hoy día las máquinas copiadoras ofrecen un mejor servicio, pero siempre las copias pierden su calidad.

9. Debe educar la voz.

El predicador debe hacer ejercicios para tener más fuerza en su voz y mantenerla más clara. Los pulmones y el pecho son importantes para dar fuerza y volumen a la voz, ciertos ejercicios son provechosos para lograr este fin. Por ejemplo, el leer en voz alta enfrente de un espejo ayuda mucho a lograr una buena adición, modulación y pronunciación.

10. Debe cuidar la garganta.

El predicador antes de predicar debe higienizar bien la garganta. Un enemigo de la garganta mientras se predica son los ventiladores, un aire frío que entre por alguna ventana, o beber agua fría. Los antisépticos bucales ayudan mucho al cuidado de la garganta, ya que eliminan las bacterias que se desarrollan en las membranas de la misma.

BOSQUEJO

Introducción:

La buena predicación es aquella que apoyada sobre el vehículo de la homilética, puede llevar un mensaje a su oyente inmediato. La buena comunicación es recíproca, establece diálogo e influencia sobre los oyentes. Siempre tiene un "para qué" y un "por qué".

Predicar es revelar la voluntad de Dios a través de un predicador al oyente. Es una PERSONA o sea Dios que a través de una PERSONALIDAD o sea el predicador, se comunica con PERSONAS o sea los oyentes.

I. Su personalidad:

Se define la personalidad como: "carácter original que distingue a una persona de otra".

1. Un buen comunicador es sincero.

2. Un buen comunicador es emocionalmente maduro.

3. Un buen comunicador es aquel que tiene autocontrol de sus sentimientos.

4. Un buen comunicador es aquel que da atención a ciertos factores de su personalidad.

El primer factor es su relación con Dios.

El segundo factor es su relación con el yo.

El tercer factor es su relación con la Escritura.

El cuarto factor es su relación con el mundo.

II. Su estilo:

Según Costas: "El estilo involucra el uso correcto de palabras arregladas y expresadas en una forma correcta. (Ibid., p.184).

Según Broadus: "No puede el estilo separarse de las ideas ni del carácter mental del hombre, el estilo no es sólo el vestido, sino la encarnación del pensamiento" ("Tratado sobre la predicación". Casa Bautista de Publicaciones, p. 203).

A. El buen predicador se esforzará por mejorar su estilo. Procurará hablar un buen español.

B. El buen predicador se esforzará por hablar gramaticalmente correcto.

C. El buen predicador se esforzará por ser claro en su dicción e ideas, escogerá figuras adecuadas de la retórica, modulará su voz y por medio de las palabras transmitirá a sus oyentes lo que él en ese momento está experimentando.

D. Las cinco congregaciones a las cuales se enfrenta un predicador son:

1. *La que es apática.* Es totalmente neutral al escuchar el mensaje. Se le llama la atención con la variación y con un mensaje del día.

2. *La que es crédula.* No rechaza la predicación porque cree en lo que dice el predicador. Le gusta la predicación dramatizada.

3. *La que es hostil.* Desconfía del predicador y de lo que está predicando. El predicador no puede ser agresivo, dogmático, controversial o polémico. Debe evitar hablar con el pastor o con otro en la plataforma.

4. *La que duda.* Le da trabajo aceptar lo que dice el predicador. El predicador debe estar bien preparado, documentado y probar lo que dice.

5. *La que es mixta.* Es apática, crédula, dudosa y hostil. El predicador necesita ser variado, enérgico, estar documentado y tener gracia.

III. Su voz:

Si algo el predicador debe cuidar y cultivar es la voz.

1. No se debe pensar mucho en la voz.

2. No se puede dejar de pensar debidamente en la voz.

3. Hay que cuidarse de las afectaciones habituales y comunes.

4. Hay que corregir las idiosincrasias de lenguaje desagradable al oído.

5. Hay que hablar para ser oídos.

6. No se debe usar toda las voz en la predicación.

7. Se debe variar la voz.

8. Se debe acomodar la voz a la naturaleza del asunto.

9. Se debe educar la voz.

10. Se debe cuidar la garganta.

Conclusión: La personalidad, el estilo y la voz del predica dor deben estar bien integradas en la tarea de la predicación.

Notas bibliográficas

1. Myron R. Chartier, Preaching As Communication. Abingdon Preacher's Library, p.13.

2. C.H. Spurgeon, Un ministerio ideal (2. El pastor - Su mensaje). Editorial El Estandarte de la Verdad, p. 25.

3. C.H. Spurgeon, Discursos a mis estudiantes. Casa Bautista de Publicaciones, pp. 154-155.

4. Orlando Costas, Comunicación por medio de la predicación. Editorial Caribe, p. 158.

5. Ibid., p. 158.

6. Ibid., p. 158.

7. Spurgeon, Discursos a mis estudiantes, p. 16.

8. Myron R. Chartier, ob. cit., pp. 30-32.

9. Ibid., p. 32.

10. Costas, Ibid., p. 163.

11. Ibid., p. 184.

12. John A. Broadus, Tratado sobre la predicación. Casa Bautista de Publicaciones, p. 203.

13. Spurgeon, Discursos a mis estudiantes, p. 60.

14. Costas, Ibid., pp. 184-185.

15. Ibid., pp. 184-186.

16. George W. Fluharty - Harold R. Ross, Public Speaking. Barnes & Noble Books, pp. 157-158.

17. Spurgeon, Discursos a mis estudiantes, pp. 195-226.

18. Ibid., p. 197.

19. Ibid., p. 200.

20. Ibid., p. 206.

21. Ibid., p. 214.

3

La preparación del sermón

El sermón, por decirlo propiamente es el vestido del mensaje. Puede haber un sermón sin mensaje y un mensaje sin sermón. Pero cuando ambas cosas se integran en la tarea de la predicación, habrá muy buenos resultados. El predicador del evangelio tiene como tarea, el comunicar un mensaje por medio de un sermón. Hay predicadores que nos recuerdan la visión del valle de los huesos secos vista por el profeta (Ezequiel 37). Lo que presentan a los oyentes es una osamenta homilética, divisiones sin aplicaciones.

Permítame comparar el sermón con una receta de comida. Cuando los ingredientes se usan en su cantidad apropiada de acuerdo a la receta del plato a ser preparado, el resultado será un suculento manjar atractivo a los sentidos de la vista, el gusto, el olfato, y hasta quizás el tacto. Pero además, su contenido que es en realidad lo importante será nutritivo al organismo. El sermón por decirlo así hace que el mensaje sea agradable, claro, comprendido, recordado e interesante.

Una vez más deseo volver a la receta de cocina (por favor no piense que sé cocinar). Tener una receta y los ingredientes no es nada si no se procede a integrar cada alimento. Todo debe ser debidamente calculado, medido, sazonado y cocinado. Probablemente se empleen diferentes hornillas y varios utensilios de cocina. Al final se servirá en orden para que el plato luzca bien, aunque tiene que saber bien, pero ambas cosas son importantes.

En la preparación del sermón hay una serie de elementos que tienen que ser considerados. El sermón nace de la dependencia de Dios, del esfuerzo y de la disciplina del predicador. El predicador improvisadamente, las más de las veces lleva a una audiencia un mensaje desnudo o un mensaje mal vestido. Al momento de este escrito, este año, 18 de marzo de 1994 cumplí 23 años de predicar el evangelio. Mis cinco libros anteriores "Bosquejos para predicadores", son pruebas de la disciplina homilética que he procurado mantener a lo largo de los años. Por lo tanto, la homilética que enseño a otros, yo mismo la he puesto a prueba. Hasta el día de hoy no sé qué me produce más gozo; el preparar el sermón o el predicarlo. Aunque no niego que ambas cosas me fascinan.

En los próximos párrafos estaré considerando con usted los elementos del sermón y el mismo como discurso:

I. Los elementos del sermón

El mensaje procede de Dios, y a través del predicador mediante la personalidad y estilo de éste se comunica al oyente. El sermón es el arreglo y preparación de ese mensaje de manera que llegue comprensible y que cumpla su "para qué" en los corazones de aquellos que lo han de recibir. Cada elemento del sermón cumple una tarea en el proceso "kerygmático".

Antes de entrar a considerar cada elemento según los veo y entiendo, es mi deseo compartir el resumen homilético que enseña el doctor Cecilio Arrastía. No sólo he leído sus libros de sermones, sino que también tuve el privilegio de tenerlo como profesor en el curso de comunicaciones que tomé para los estudios de licenciatura en el New York Theological Seminary. Es un "príncipe del púlpito latinoamericano".

Primero: El ve en la predicación la tarea de LOCALI-ZAR. Lo cual tiene que ver con "la selección del texto que se usará como base y marco del sermón".[1]

Esta primera fase de la predicación se determinará por el criterio selectivo del predicador según el referido homileta.

Segundo: Señala la fase continua a la primera que es INVADIR. Según Arrastía es una "invasión en dos frentes. Uno el del texto; otro, el del contexto".[2] Emplea aquí una imagen bélica para explicar lo que quiere decir por INVA-SION. Luego Arrastía nos aclara: "La invasión del texto es solo la mitad del empeño. En cierta forma esto es el medio; el fin es la invasión del texto, del problema, de la situación humana, individual o colectiva con el mensaje del texto".[3]

Tercero: Ahora nos dice: "del choque de una invasión —texto y contexto— brota luz. Esta luz produce el tercer paso del proceso: ILUMINACION. Y este es el climax".[4] Esta iluminación se aplica a la mente y a la situación del ser humano, de Dios al predicador y de éste al oyente.

El doctor Cecilio Arrastía en su método para preparar sermones no sólo responde al predicador laico sino al predi-cador "profesional". En su homilética, le da mucho énfasis al sermón expositivo, en lo cual yo como su estudiante discrepo con él. Los que lo hemos escuchado predicar, sabemos que es todo un maestro en la retórica. Pero por ahora basta con eso, y vayamos a nuestra tarea homilética para considerar el pasaje bíblico, el tema y el título.

1. El pasaje bíblico.

Ya sabemos que un sermón para ser bíblico no tiene que estar basado en un pasaje bíblico particular, sino en la revelación bíblica. No obstante, lo tradicional y más correcto sería saltar a la aventura de la predicación sobre una base bíblica o escrituraria.

En la mecánica de la homilética se procura que el predi-cador se mantenga en su tarea de la predicación caminando sobre la carretera del pasaje bíblico. El recorrer toda la Biblia citando textos y más textos, no sólo puede alejar al predicador de su tema, sino que desorienta a sus oyentes. Es mejor disparar un texto al corazón del oyente, que no ametrallar su mente con muchos textos bíblicos. Me explico mejor, es de mayor beneficio interpretar un pasaje bíblico, que no citar muchos textos por llenar un espacio de tiempo.

El pasaje bíblico como base a la predicación es importante porque da contenido a la predicación, autoridad al predicador, credibilidad a lo dicho por el predicador, y produce efectos espirituales en los oyentes.

El pasaje bíblico debe escogerse con mucho cuidado y oración. Nunca un texto o pasaje bíblico se debe divorciar de su contexto inmediato, posterior o general. Esto puede dar lugar a suposiciones de parte del predicador que puedan acarrear controversias, disparates o presunción. Se ha dicho que un TEXTO fuera del CONTEXTO es un PRETEXTO.

El predicador, antes de exponer el pasaje bíblico debe interpretarlo tanto hermenéuticamente como homiléticamente. Me explico: La hermenéutica es una herramienta o disciplina que tiene que ver con el lenguaje del texto, si es literal o figurativo o ambos. Considera las palabras oscuras o frases a la luz del conjunto textual o contextual. Analiza el pasaje tomando en consideración el contexto. Este puede estar antes o después del texto, en el mismo capítulo, en el mismo libro, en todo el Nuevo Testamento, en algún libro, capítulo o pasaje del Antiguo Testamento o en toda la Biblia. Además, el contexto tiene que tomar en cuenta al autor del libro canónico, el tiempo del escrito, las circunstancias, el propósito y la aplicación inmediata.

La hermenéutica considera las figuras de retórica que se emplean en el pasaje bíblico (ejemplos: prosopopeyas, hebraísmos, símiles, parábolas, sinecdoque, paradoja, ironía, alegorías, símbolos, tipos, antitipos, prototipos, generalizaciones, hipérboles, etcétera). Para ser más claro, la Biblia tiene un mensaje literal que puede estar escrito literalmente o tiene que descubrirse detrás de un lenguaje figurado.

Esta tarea hermenéutica necesita del uso de la exégesis. La cual lo que hace es descubrir y buscar el significado exacto del pasaje bíblico. Esto ayudará al predicador a no inyectar en el texto o pasaje un significado contrario al que realmente tiene. El texto no debe decir lo que yo pienso que dice, sino lo que Dios dice.

El predicador en su trabajo de invadir el texto debe considerar el mismo a la luz de diferentes versiones bíblicas autorizadas. No podemos hacer de una versión bíblica la única aprobada por Dios y por ende infalible en su traducción. Para muchos americanos la versión del "Rey Santiago" (King James) es la única que verdaderamente es Palabra de Dios. Muchos hispanos piensan que la revisión Reina-Valera de 1909 es la única que es Palabra de Dios. Otros creen que la revisión Reina-Valera de 1960 sí es la verdadera palabra de Dios. Caen en lo que yo le llamo una versionolatría. El leer un pasaje bíblico en diferentes versiones bíblicas tanto evangélicas como católicas muchas veces aclara el sentido del texto bíblico. Por lo menos esa es mi experiencia tanto a nivel de predicador como maestro.

El predicador debe hacer uso de los interlineales griegos, de concordancias y diccionarios greco-castellanos (la Editorial CLIE posee buen material al respecto). El griego hablado por los escritores del Nuevo Testamento era el "koine", no un griego clásico sino el vulgar o del pueblo. Por lo tanto, los traductores bíblicos muchas veces filtran conceptos bíblicos de los textos originales a nuestro idioma que a veces están afectados por la influencia de los mismos. Además los idiomas envejecen al igual que las personas. Por ejemplo la palabra "preñada" hoy día suena vulgar aplicada a una mujer, pero "embarazada" suena aceptable.

En la versión de Casiodoro de Reina 1569 leemos en Apocalipsis 1:13:

> *"...y ceñido con una cinta de oro por las tetas".*

Hoy día la palabra "tetas" que en el siglo XVI, era algo común, suena desagradable y hasta como mala palabra. En Mateo 1:25, esta misma versión de Casiodoro de Reina cita:

*Y no la conoció hasta que parió a su hijo primogénito,
y llamó su nombre Jesús.*

Esa palabra "parió" en labios de un predicador suena grosera.

No se debe escoger un pasaje bíblico sin propósito. Debe existir en el corazón y en la mente del predicador la seguridad de que Dios desea que éste predique de dicho pasaje. El predicador debe estar familiarizado con el pasaje bíblico y no que el uno esté extraño al otro. Recuerde, si usted no conoce un pasaje bíblico le dará trabajo presentárselo a otros.

Si se siente atraído por un texto bíblico, familiarícese con él. Pero si nota que se le hace difícil llegar a su significado y descubrir el mensaje de Dios en el mismo, después de haber emprendido la tarea de comprenderlo le aconsejo que lo descarte por lo menos en esa ocasión y trate con otro. No predique sobre algo que usted no se siente interesado o que no entiende.

2. El tema.

En un pasaje bíblico por lo general se descubre un asunto particular, pero muchos temas. Es innegable que un predicador por más homileta que sea no podrá jamás evitar pisar en el territorio de varios temas secundarios. Es difícil, por no decir imposible, que prediquemos sobre un solo tema. Haga usted mismo la prueba. Busque un pasaje bíblico y cuente los temas.

Por ejemplo leamos Romanos 5:1:

*Justificados, pues, por la fe, tenemos paz para con Dios
por medio de nuestro Señor Jesucristo.*

En este pasaje sobresalen y están expuestos cinco temas: la justificación, la fe, la paz, Dios y el Señor Jesucristo.

Pero a pesar de los muchos temas en el pasaje bíblico anterior, descubrimos un solo asunto y es: El hombre o mujer es justificado ante Dios por medio de Jesucristo y esto es por fe. El tema de un sermón puede ser una palabra, más de una palabra, un asunto o una proposición.

Primero: *El tema en sí.* Este responderá al "aspecto particular del asunto que ha de ser desarrollado en el transcurso del mensaje".[5] El tema es la columna vertebral que sostiene sobre la base del texto bíblico, el armazón o esqueleto del sermón. En la tarea de la predicación lo que hace el predicador es descubrir un tema, demostrarlo, aplicarlo e ilustrarlo. Al hablar aquí del tema en sí me refiero al mismo de manera simple como lo conocen la mayoría de los predicadores: la fe, la gracia, la mayordomía, la sangre de Jesucristo, la salvación, la justificación, el amor, la santidad, la oración, el discipulado, la pobreza, la indiferencia, la prosperidad, etcétera.

El tema puede ser un poco más complejo: la fe de los creyentes, la gracia generadora, la salvación por fe, la sangre de Jesucristo para perdón de pecados, la abnegación del creyente, la justificación como obra de gracia, el amor divino, la santidad interna y externa, etcétera.

Segundo: *El asunto.* Nos dice Costas: "el asunto depende de la clase de pasaje que se esté estudiando. El pasaje puede tener un carácter biográfico, narrativo (un incidente tal como una conversación, una batalla o un milagro), doctrinal o ético, o doctrinal y biográfico, en cuyo caso el predicador deberá optar por el que tenga más fuerza".[6]

El asunto, por decirlo así, es más general. Es un tema ampliado que resume todo el significado del pasaje bíblico. El predicador tiene en su análisis del pasaje bíblico que considera, los temas intercalados, luego se concentra en un tema particular, finalmente resume todo en un asunto general y completo del mismo.

Tercero: *La proposición.* Volvamos a citar a Costas: "La proposición es el tema expresado en una oración gramatical completa, clara y concisa, que resume el contenido del mensaje y anuncia el curso a seguir o el propósito que se quiere alcanzar".[7]

La proposición es un puente entre el tema y el propósito de la predicación. La misma está alimentada del tema. Diría yo que es el tema-asunto ya estructurado y analizado.

Desde luego, los predicadores necesitamos conocer toda esta mecánica de la homilética. En la tarea de la predicación sobreentendemos muchos elementos de la homilética, aunque no los identifiquemos en nuestros bosquejos o notas.

La proposición tiene un triple alcance o propósito: el de persuadir, el de enseñar, y el de servir a manera de resumen entre el tema y las divisiones del sermón.[8]

3. El título.

El título y el tema en propósito cumplen dos objetivos diferentes. El tema es la viga principal del andamiaje homilético. Pero no todos los temas son atractivos y despiertan curiosidad a la vista u oído de los oyentes. De ahí que el título tiene un propósito especial de dar promoción o de anunciar el sermón.

Muchos temas sirven las veces de títulos, pero lo más correcto es que cada sermón tenga su título y exponga el tema. Un buen título se puede recordar muchos años.

Primero: *El título debe ser interesante.* Muchos predicadores emplean títulos que son ambiguos, oscuros y confusos. De los predicadores de siglos pasados podemos aprender a usar títulos. Otros predicadores como Jimmy Swaggart, Billy Graham, son muy buenos en el uso de títulos llamativos.

Por ejemplo D.L. Moody empleó en sus sermones títulos como estos: La compasión sin límites de Cristo; Una palabra, El evangelio; El cielo y cómo llegar a él. El famoso predicador C.H. Spurgeon empleó algunos títulos como los siguientes: Verdadera comida y verdadera bebida; La voz de la sangre; El jardín de Dios; Un descanso para los cansados; Un gran evangelio para grandes pecadores; Del estercolero al trono; Una visita a la tumba. El evangelista Billy Sunday empleaba títulos muy peculiares: Nueces que los escépticos tienen que romper; El detective de Dios; Súbete al vagón de agua; Hogar, dulce hogar.

Segundo: *El título debe ser fácil de recordar.* Hay predicadores que al anunciar su título uno tiene la impresión de que están dando la introducción al sermón. Muchos títulos largos se olvidan tan pronto el predicador termina de decirlos.

Tercero: *El título debe estar relacionado con el tema.* El mismo arroja luz sobre el tema. Su propósito no es alejar al oyente del tema sino acercarlo al mismo. Si un predicador no puede o le es difícil formular un título apropiado, lo mejor es que use el tema como título. Muchas veces el título puede ser tomado de alguna frase del pasaje bíblico. Este ha sido un método favorito de muchos predicadores para dar títulos a sus sermones. Esas frases bíblicas las más de las veces sirven de tema y título.

Cuarto: *No se debe abusar del título.* Son muchos los predicadores que citan más el título que el texto bíblico. El contenido de su sermón está basado en el título y no en la revelación del texto. El título no se debe convertir en mula homilética.

II. El sermón como discurso.

Todo discurso se caracterizará porque tiene una introducción, un cuerpo y una conclusión. Esas son las tres partes básicas que dan la forma a cualquier discurso público.

Primero: Consideremos la introducción.
A ésta se le conoce también como el exordio. La introducción es un puente entre el predicador y la audiencia, y pone en diálogo al oyente con el discurso.

Dale Carnegie ofrece algunas sugerencias para que un orador gane la atención inmediata de la audiencia:

(a) Despertando la curiosidad.

(b) Relacionando una historia de interés humano.

(c) Empezando con una ilustración específica.

(d) Usando alguna exhibición.

(e) Preguntando.

(f) Abriendo con una citación chocante.

(g) Mostrando cómo el tema afecta el interés vital de la audiencia.

(h) Empezando con hechos chocantes.[9]

1. La introducción debe ser breve. Una introducción en un sermón de treinta minutos, no debe ser más de una sexta parte del mismo. Lo más aconsejable es que sea de dos a tres minutos. Por lo tanto debe estar escrita en el plan, bosquejo o notas del predicador. Eso evitará que el predicador comience a divagar antes de presentar su tema. Aunque la introducción esté escrita, el predicador la debe decir de memoria. El contacto visual en esos primeros minutos con la audiencia es muy importante.

2. La introducción es transicional. Su propósito es establecer un puente de comunicación entre el predicador y los oyentes. Hay que evitar la tentación de que la introducción se convierta en desarrollo del sermón. O que, se convierta en otra predicación. Muchos predicadores utilizan en la introducción casi una tercera parte del sermón lo cual presenta desproporción homilética.

3. La introducción debe ser llamativa. Busca la atención de los oyentes. Muchas predicaciones han perdido el interés porque la introducción es latosa, ambigua y sin propósito alguno. Aquellos predicadores que gustan de estar excusando su falta de preparación en la introducción no saben que le están metiendo una daga por la espalda al sermón. Sencillamente el predicador que no está preparado para predicar, en vez de estar excusándose no debe predicar.

4. La introducción debe ser como un prólogo. En ella el predicador puede anunciar al auditorio acerca de qué va a predicar. En el cuerpo del sermón le dice lo que le dijo que le iba a decir. En la conclusión le dice lo que le dijo que le iba a decir y le dijo. La introducción dice de qué se predicará, en la presentación y aplicación se predica lo que se anunció, en la conclusión se resume lo que se predicó.

5. La introducción pone al predicador en contacto con el auditorio. Tanto el predicador como la audiencia se ponen en tensión en relación con la predicación. La introducción calma esa tensión. Lo que esperamos los predicadores es el disparo para arrancar a correr. La congregación también espera la detonación para vernos arrancar.

Entre el predicador y los oyentes a veces se levantan ciertas barreras que con la introducción se deben remover. Algunas de estas barreras son:

(a) La persona que predica es mujer.
(b) El predicador es muy joven.
(c) El predicador viene de otra denominación y se le mira con sospechas.
(d) El predicador es muy amigo del pastor o de los líderes.
(e) La apariencia física del predicador no es atractiva.

Conviene que ahora le añada un nuevo detalle. Todo predicador, si me permite la generalización, y yo me incluyo, tiene dos introducciones. Primero, la escrita que está anexada al sermón. Segundo, la que nace en la ocasión. Me permito ser más claro con la segunda. El predicador antes de entrar de lleno a introducir su tema, se toma algunos minutos para saludar a la audiencia y quizás hacerle algunos encomios. Esto es lo que le llamo el saludo del predicador a la audiencia.

6. La introducción del sermón muchas veces tiene que ser modificada y hasta cambiada. Esa ha sido mi experiencia y la de otros predicadores. En el púlpito, o momento antes, sentimos substituir la introducción ya formulada por otra. Si el predicador lo siente así, lo debe hacer. Pero cuidado con no construir un puente demasiado ancho para un río angosto. Es decir, ser tentado a predicar otro sermón. Que en vez de uno sean dos sermones los predicados.

7. La introducción es lo último que debe escribir el predicador. Aunque será lo primero que dirá. En un sermón improvisado la introducción surge primero, pero en un sermón ya preparado, la introducción es lo último que se escribe, aunque en el bosquejo aparece primero y es lo primero que se dice. Si usted se fijó este libro que usted está leyendo tiene un prólogo, no piense que yo escribí el mismo primero. Este prólogo fue escrito después de haberse completado los capítulos. ¿Por qué se debe escribir la introducción última? La razón es que para introducir el tema, las divisiones del sermón o la proposición se necesita saber de qué va a tratar el sermón y qué puntos se enfatizarán.

8. La introducción según Costas al predicar sin notas se debe bosquejar.[10] No estoy de acuerdo con el referido homileta. Para mí la introducción se debe escribir a la manera de párrafo, se debe estudiar bien y luego el predicador la debe decir de memoria. Si se predica sin notas no hay necesidad de tener que escribir una introducción. Y si se predica con notas, ¿para qué se necesita bosquejar la introducción?

Segundo: Consideremos el cuerpo del sermón como discurso.
Para mí las tres cosas más importantes en el cuerpo de un sermón son: La presentación, las aplicaciones y las ilustraciones.

1. En la presentación está la parte exegética, analítica, narrativa, argumentativa e informativa. El predicador nos confronta con los hechos y argumentos según él los ve y los interpreta. El los expondrá con el propósito de convencer a la audiencia dando credibilidad y razón lógica a los argumentos.

En la presentación da definiciones, explica el texto o pasaje bíblico, familiariza el texto con el contexto histórico, documenta lo que se necesite, expone la historia bíblica o dramatiza algún personaje o varios de la historia que se está considerando. Esta parte de la predicación es didáctica, ya que el predicador enseña, demuestra e informa.

2. En la aplicación, el predicador relaciona lo dicho con el oyente. Por decirlo así, la aplicación es práctica, experimental y espiritual. Su enfoque es persuasivo. La historia bíblica de David y Goliat, de Sansón y Dalila son en esta parte de la predicación, nuestras propias historias. Lo que Pablo escribió a los Gálatas o a los Tesalonicenses, ahora mediante la aplicación es para nosotros.

3. La presentación y la aplicación son tan unidas que es difícil separar la una de la otra. En el mismo bosquejo se ven entrelazadas. Muchas veces el predicador hace su presentación y luego aplica. Pero las mayoría de las veces a medida que va haciendo la presentación surgen las aplicaciones.

La aplicación es algo delicado. Es ahí donde el predicador le da el golpe final a alguna verdad con el propósito de que se grabe en el corazón del oyente. La aplicación y las exhortaciones son lo mismo en la tarea de la predicación.

Muchas veces la aplicación puede ser más eficiente si se hace indirectamente. Por ejemplo en vez de decir: "Usted tiene que consagrarse más". Se puede decir: "Como iglesia tenemos que consagrarnos más". En vez de predicar a uno o dos individuos, se le debe predicar a toda la congregación. Pero como si el Señor estuviera tratando personalmente con uno solo.

En el otro extremo la predicación pastoral es única. El pastor es directo, tajante y va al grano. Esto no sólo confronta al creyente con sus faltas, sino que demuestra el cuidado pastoral por él. Por eso no creo que el día domingo pueda haber un buen substituto para él. Recuerdo al pastor Pablo Fernández, que nos dirigió esta pregunta a la junta directiva de

Radio Visión Cristiana, de la cual él es miembro: "¿Ha dicho alguno de ustedes a su congregación que la ama?" Los pastores debemos sacar tiempo para decirle desde el púlpito a la iglesia que la amamos.

4. Las aplicaciones se pueden formular basadas en cuatro formas de leer e interpretar la Biblia según las expone el doctor Cecilio Arrastía.[11]

A. El criterio literalista. Aquí están aquellos que se acercan al texto, pero se quedan en la superficie del mismo y comienzan a aplicar textos bíblicos a esto o aquello. Con este grupo se identifican aquellos que muy a menudo los escuchamos declarar: "Si no está en la Biblia no lo acepto". Dice Arrastía: "Partiendo de esta premisa, repetir es más importante que predicar; grabar el texto en la mente y oído del oyente, es más productivo que analizarlo y explicarlo".[12]

B. La forma alegórica. Los que se identifican con esta forma profundizan el texto bíblico, diferente a los literalistas, pero para inyectar en el mismo sus propias ideas y espiritualizaciones. En todo ven una aplicación espiritual. Por ejemplo en Exodo 2:3 se nos habla de la arquilla de juncos donde fue puesto el niño Moisés con tres meses de nacido. Esta arquilla estaba calafateada con asfalto y brea. Los que siguen el método alegórico de interpretar y aplicar la Biblia, dirían que hay un significado espiritual en la arquilla, el asfalto y la brea. Con toda probabilidad predicarían un sermón basado sobre estas tres palabras.

C. El criticismo formal. Su intento es desmitologizar la Biblia. Sus exponentes son objetivos al mensaje bíblico. Ellos niegan lo milagroso y miran muchas narraciones e historias en la Biblia con sospechas. Cuando la crítica formal tiene equilibrio no es tan dañina, pero cuando toma extremos, hace de sus intérpretes "carniceros" del texto bíblico.

D. Una forma existencial que une al ser humano con Dios dando a la Biblia toda su credibilidad. En el drama de la Biblia nosotros somos invitados a participar. El Dios de la Biblia es el mismo Dios nuestro. Los personajes de la Biblia, refiriéndome a los seres humanos que participan, y nosotros, tenemos muchas cosas en común.

Tercero: Consideremos finalmente, la conclusión del sermón como discurso. Llegamos ahora a la parte más difícil de un sermón: la conclusión. El predicador debe esmerarse en preparar su conclusión con la misma efectividad que la introducción. La misma debe ser corta. No más de tres minutos. Debe escribirse en el bosquejo o notas. No debe leerse sino memorizarse o decirse en las propias palabras del predicador.

1. La conclusión no debe ser abrupta. No debe tomar por sorpresa a la congregación o audiencia. El predicador debe anunciarla. Es como un piloto que anuncia a la tripulación cuando va a despegar el avión y cuando se prepara para aterrizar. Cuando el predicador dice: "para concluir....", debe asegurarse de que está terminando. No hay algo que moleste más a los oyentes que esos predicadores que dicen, "estoy por terminar", y terminan media hora después.

2. La conclusión no debe ser ocasión para pedir clemencia a la audiencia. Por ejemplo: "Hermanos, perdonen que no predique mejor, pero es....". Esto lo que hace es mostrar la incapacidad del predicador.

3. La conclusión no es para tomar la oportunidad de mencionar algo que se le quedó al predicador. Lo que se quedó no hay que mencionarlo. Déjelo para otro sermón. A todos los predicadores siempre se nos queda algo por decir, pero para eso tuvimos la oportunidad.

4. La conclusión lleva el sermón a su clímax, lleva a una decisión de parte del oyente y da el último golpe. Las palabras empleadas deben ser bien precisas y al grano. Es aquí cuando el predicador da el "jaque mate" final.

5. *La conclusión puede ser:*
(a) Una recapitulación.
(b) Una aplicación general.
(c) Algunas preguntas de reflexión personal.
(d) Un llamado a la acción inmediata.
(e) Un pensamiento importante.
(f) Una ilustración interesante.
(g) Una estrofa de un himno o poema.
(h) Una mención de la proposición del sermón.
(i) Una oración.
(j) Una apelación a la conciencia.

BOSQUEJO

Introducción:

El sermón por decirlo propiamente, es el vestido del mensaje. Puede haber un sermón sin mensaje o un mensaje sin sermón. El sermón nace de la dependencia en Dios, del esfuerzo y de la disciplina del predicador.

En los próximos párrafos estaré considerando con usted los elementos del sermón y el sermón como discurso.

I. Los elementos del sermón:

El mensaje procede de Dios, y a través del predicador mediante la personalidad y estilo de éste se comunica al oyente. El sermón es el arreglo y preparación de ese mensaje de manera que llegue comprensible y que cumpla su "para qué" en los corazones de aquellos que le han de recibir.

El doctor Cecilio Arrastía, un "príncipe del púlpito latinoamericano", en su resumen homilético presenta tres fases (Biblia de Estudio Mundo Hispano. "El predicador cristiano y la Biblia", pp. 115-116).

Primero, la tarea de LOCALIZAR. Lo cual tiene que ver con "la selección del texto que se usará como base y marco del sermón" (Ibid.)

Segundo, la fase continua a la primera que es INVADIR. Según Arrastía es una "invasión en dos frentes. Uno del texto; otro, el del contexto" (Ibid.)

Tercero, ahora nos dice: "del choque de una invasión —texto y contexto— brota luz. Esta luz produce el tercer paso: ILUMINACION (Ibid.)

1. El pasaje bíblico.

A. Un sermón para ser bíblico no tiene que estar basado en un pasaje bíblico en particular, sino en la revelación bíblica.

B. Es mejor disparar un texto al corazón del oyente, que no ametrallar su mente con muchos textos bíblicos.

C. El pasaje bíblico da contenido a la predicación, autoridad al predicador, credibilidad a lo dicho por el predicador y produce efectos espirituales en los oyentes.

D. El pasaje bíblico se debe interpretar hermenéuticamente y homiléticamente.

E. El pasaje bíblico debe tener un propósito en el corazón y en la mente del predicador de que Dios desea que éste predique de dicho pasaje.

2. El tema.

En un pasaje bíblico por lo general se descubre un asunto particular, pero muchos temas.

A. *El tema en sí.* El tema es la columna vertebral que sostiene la base del texto bíblico, el armazón o esqueleto del sermón. El predicador debe descubrir, demostrar, aplicar e ilustrar el tema. Hay temas simples y temas complejos.

B. *El asunto.* Es un tema ampliado que resume todo el significado del pasaje bíblico.

C. *La proposición.* Es un puente entre el tema y el propósito de la predicación. Es el tema-asunto ya estructurado y analizado.

3. El título.
El título tiene un propósito especial de dar promoción o de anunciar el sermón debe tener su título y exponer el tema.

A. El título debe ser interesante.

B. El título debe ser fácil de recordar.

C. El título debe estar relacionado con el tema.

D. No se debe abusar del título.

II. El sermón como discurso:

1. Consideremos la introducción.

A. Debe ser breve.

B. Debe ser transicional.

C. Debe ser llamativa.

D. Debe ser como un prólogo.

E. Pone al predicador en contacto con la audiencia.

F. Muchas veces tiene que ser modificada y hasta cambiada.

G. Es lo último que escribe el predicador.

H. Según Costas al predicar sin notas se debe bosquejar la introducción.

2. Consideremos el cuerpo del sermón.

A. En la presentación está la parte exegética, analítica, narrativa, argumentativa e informativa.

B. En la aplicación, el predicador relaciona lo dicho con el oyente.

C. La presentación y la aplicación son tan unidas que es difícil separar la una de la otra.

D. Las aplicaciones se pueden formular basadas en cuatro formas de leer e interpretar la Biblia según el doctor Cecilio Arrastía.
   - (a) El criterio literalista.
   - (b) La forma alegórica.
   - (c) El criticismo formal.
   - (d) Una forma existencial que une al ser humano con Dios dando a la Biblia toda su credibilidad.

3. Consideremos finalmente, la conclusión del sermón.

A. No debe ser abrupta.

B. No debe ser ocasión para pedir clemencia a la audiencia.

C. No es para tomar la oportunidad de mencionar algo que se le quedó al predicador.

D. La conclusión lleva al sermón a su clímax, lleva a una decisión de parte del oyente y da el último martillazo.

E. La conclusión puede ser:
   - (1) Una recapitulación.
   - (2) Una aplicación general.
   - (3) Algunas preguntas de reflexión personal.
   - (4) Un llamado a la acción inmediata.
   - (5) Un pensamiento importante.
   - (6) Una ilustración interesante.
   - (7) Una estrofa de un himno o poema.
   - (8) Una mención de la proposición del sermón.
   - (9) Una oración.
   - (10) Una apelación a la conciencia.

Conclusión: Dios quiere usar mediante el Espíritu Santo, a hombres y a mujeres que se preparen para predicar.

Notas bibliográficas

1. Doctor Cecilio Arrastía. La Biblia de Estudio Mundo Hispano. "El predicador cristiano y la Biblia". Editorial Mundo Hispano, p. 115.

2. Ibid., p. 116.

3. Ibid., p. 116.

4. Ibid., p. 116.

5. Orlando Costas, Comunicación por medio de la predicación. Editorial Caribe, p. 49.

6. Ibid., p. 54.

7. Ibid., p. 69.

8. Ibid., pp. 70-72.

9. Dale Carnagie, How to Develope Self-Confidence and Influencing People By Public Speaking. Pocket Books, New York, pp. 146-147.

10. Costas, ob. cit., p.87.

11. Arrastía, ob. cit., p. 119.

12. Ibid., p. 119.

4

La elaboración y empleo del bosquejo

Por muchos años he podido comprobar que la mayoría de los manuales homiléticos no hablan del tema de la elaboración del bosquejo y de su empleo. El énfasis está mayormente en la manera cómo se debe entregar el mensaje por medio del sermón. Estos autores hablan de la mecánica de la homilética. Dan por sobreentendido que los lectores sólo necesitan saber que un sermón en su plan tiene divisiones y subdivisiones. De los libros de homilética el que considera más la elaboración del bosquejo es "Manual de Homilética" escrito por el prolífico autor doctor Samuel Vila. El referido autor nos sugiere una interpretación homilética del texto o textos bíblicos que ha influenciado mi postura homilética. Personalmente recomiendo sin ambages este libro a todos aquellos que estén enamorados de la tarea de la predicación. Es una joya homilética.

I. La necesidad del bosquejo

Entre la introducción y la conclusión a manera de disyuntiva encontramos el cuerpo del sermón, el esqueleto, el armazón, el bosquejo o cláusulas que ayudarán al predicador a mantenerse en su tema y a comunicar organizadamente.

No basta con tener en un sermón una serie de buenos pensamientos si los mismos no están intercalados y en sucesión al desarrollo del asunto. Cuando estos pensamientos se organizan conforme al pasaje bíblico o al asunto, nace desde luego el bosquejo. El bosquejo es doble: Primero se hace un bosquejo simple con las divisiones o ideas principales (vea la página 97). Segundo se hace un bosquejo ya elaborado con las subdivisiones. Por lo tanto el bosquejo no es otra cosa sino las divisiones sugeridas por un pasaje bíblico o asunto.

Todo bosquejo consta de divisiones principales y de subdivisiones. Las divisiones principales son como tres avenidas que convergen en un mismo punto. Las subdivisiones son como calles que terminan en una misma avenida.

Las divisiones principales se deben enunciar con números romanos y se deben leer o pronunciar como: primero, segundo, tercero o en primer lugar, en segundo lugar. Las subdivisiones se identifican con números (1, 2, 3, etcétera). Las subdivisiones de las subdivisiones llevan letras (a, b, c, etcétera). Es recomendable que hasta donde le sea posible al predicador, éste evitará el tener subdivisiones de las subdivisiones. El bosquejo debe limitarse principalmente a las divisiones (I, II, III, etcétera) y la subdivisiones (1, 2, 3, etcétera).

Hay bosquejos simples que sólo recuerdan al predicador de tres puntos principales, aunque pueden ser menos o más. Los que predican sin notas escritas por lo general en su mente bosquejan las ideas principales y las ilustraciones. Más adelante seré más específico sobre los bosquejos. Ahora deseo considerar la necesidad del bosquejo. ¿Para qué se necesita un bosquejo para predicar? ¿Cuáles son las ventajas del mismo? ¿Ayuda el bosquejo a los oyentes? ¿Puede el Señor o el Espíritu Santo usar a un predicador que predica con bosquejo? Estas interrogantes u otras más que el lector se pueda hacer espero contestarlas en los próximos párrafos.

Primero: *El bosquejo ayuda al predicador a comunicar el sermón organizadamente y en secuencia.* La única manera de poder organizar los pensamientos con más efectividad es escribiéndolos. Sin un bosquejo nuestras ideas pierden secuencia y organización. Muy pocos predicadores están dotados de esa capacidad privilegiada de comunicar un sermón homilético sin la ayuda de notas. Para mí hay una diferencia entre la predicación corriente y la predicación homilética. En la primera se dispara sin puntería, en la segunda se dispara con mucha puntería.

He escuchado a muchos predicadores decir: "A mí no me gusta predicar con bosquejo". La realidad es que no saben hacer bosquejos, o que no se toman el debido tiempo para preparar un bosquejo, o que no saben usar un bosquejo. El trabajo mayor en la preparación de un sermón está en la elaboración del bosquejo. Para predicar un sermón sobre un pasaje bíblico con pensamientos superficiales, lo más que necesita un predicador es una media hora. El hacer un bosquejo exige una tremenda disciplina, mucho trabajo y muchas horas de inversión. Reto a cualquiera que no crea en usar bosquejos a que los aprenda a preparar, que los aprenda a usar y que no se atreva a predicar sin antes haber dedicado no menos de cuatro horas a la elaboración del sermón.

La falta de organización en las predicaciones se debe precisamente al descuido de los predicadores en no querer bosquejar pensamientos que el Espíritu Santo les ha iluminado a predicar. Hoy día nos encontramos con varias clases de predicadores, que por la falta de usar bosquejos aburren a la audiencia.

1. El predicador "perdido".

Estos son aquellos que desde que anuncian el título o el tema del sermón hasta que terminan han estado perdidos. Ellos mismos no saben de qué han predicado. Su predicación en vez de ser tres o cuatro puntos coherentes, son veinte o más puntos sin coherencia.

2. El predicador "alabanza".

En la predicación lo más que hace es predicar estos tres puntos: I. ¡Gloria a Dios!; II. ¡Amén! y III. ¡Aleluya! Lo menos que hace es predicar del texto que ha citado, de comentarlo y de aplicarlo. Por no emplear bosquejos recurre a las alabanzas para rellenar su sermón. La razón es que nunca se preparó para predicar.

3. El predicador "experiencia".

El contenido de sus sermones son sus experiencias. No menoscabamos el valor de las experiencias del predicador en la tarea de la predicación. Pero Dios no nos ha llamado a predicar nuestras experiencias sino a predicar de Su Palabra. Muchas predicaciones no pasan de ser aplausos que el mismo predicador se está dando a sí mismo.

4. El predicador "visionario".

Aunque cita un pasaje bíblico, le pone un título al sermón. Predica no de lo que Dios está revelando en la Palabra, sino de lo que en su experiencia extática él ve en la congregación. Emplea el tiempo de la predicación en llevar mensajes aislados a diferentes personas. No deseo que el lector tenga la impresión de que rechazo el que Dios pueda usar a un siervo suyo revelándole la necesidad de alguna persona. Pero ésta es la excepción y no la regla en la predicación. Dios, por medio de la predicación y por intermedio del siervo que está predicando habla a su pueblo y a los necesitados.

El bosquejo es de gran ayuda cuando el predicador expone un sermón de carácter ético-moral, doctrinal y apologético. Por la falta de bosquejos muchos "disparates" se han dicho desde un púlpito. Las palabras que salen jamás se vuelven a recoger. Por eso hay que pensar antes de hablar y hablar después de haber pensado. En la preparación del bosquejo el predicador piensa.

Segundo: *El bosquejo le ofrece al predicador ciertas libertades al comunicar.* El bosquejo no es cadena que ata al predicador, es un medio que le facilita libre y espontáneamente la comunicación del mensaje de Dios. Los predicadores que tienen mucha experiencia usando bosquejos, los emplean tan discretamente que da la impresión que no los están usando.

Un bosquejo no es un sermón escrito, siempre ofrece al predicador las libertades de añadir por aquí y de quitar por allá. El predicador tiene que usar el bosquejo y no el bosquejo usar al predicador.

Hay predicadores que en su tarea de la predicación parecen que están exhumando osamenta de un cementerio. Lo que le dan a una audiencia es un saco de huesos, es decir, muchas divisiones y poca carne. Un bosquejo sin aplicación y sin unción es como el valle de los huesos secos vistos por Ezequiel, con aplicación y unción se convierten esos huesos en esqueleto, en cadáver y luego en un poderoso ejército de pensamientos.

El predicador que usa bosquejos tiene ciertas experiencias que lo ayudarán emocionalmente en la tarea de la predicación:

1. La experiencia de seguridad.
La inseguridad en el púlpito es algo que el predicador no puede disimular. Una persona que se ha preparado bien no se siente inseguro cuando le toca predicar.

2. La experiencia de confianza.
La confianza es triple en la tarea de la predicación: Primero, el predicador confía en el Señor. Si lo ha buscado y si ha recibido un mensaje del Señor, si se ha tomado el tiempo para entenderlo y saber cómo explicarlo a otros, eso le dará confianza. Segundo, el predicador necesita confiar en que la congregación recibirá el mensaje que Dios le ha encomendado a él para dar a otros. El necesita tener esa confianza de que no chocará contra paredes de acero. La preparación del bosquejo le ayudará no sólo a tener la piedra del mensaje divino sino a saber cómo usar la honda de la homilética. Tercero, el predicador necesita tener confianza en sí mismo. El haber sacado tiempo para preparar el bosquejo, el haber orado, le dará esa confianza de que Dios lo usará.

3. La experiencia de haber estado en diálogo con Dios. Mientras se prepara el bosquejo se experimenta una intimidad espiritual con el Espíritu Santo. En cada punto se siente la presencia del Señor. Es como si Dios mismo nos tomara de la mano y nos llevara a pasear por las hermosas praderas bíblicas.

Tercero: *El bosquejo ayuda al predicador a recordar ideas que de otra manera las hubiera olvidado.* Pocas personas poseen una buena memoria o una mente fotográfica. En su preparación para predicar, aterrizan en la mente del predicador muchos buenos pensamientos que de no enjaularlos volarán como palomas. Con el bosquejo, los predicadores bajamos de la plataforma con el vacío de que dijimos algo que no debimos decir, y que no dijimos todo lo que queríamos decir.

Cuarto: *Le permite al predicador mantenerse en su tema, asunto o pasaje bíblico.* No hay cosa que canse más a un oyente que escuchar a un predicador "machina".

Esta clase de predicadores da vueltas y vueltas y no llega nunca al punto, habla mucho y dice muy poco. El clavo está, él tiene el martillo, pero da en todos los lugares menos en la cabeza del clavo. En la predicación se debe tratar un solo asunto principal a la vez. Algunos predicadores hablan de toda la Biblia menos del texto bíblico que citaron y que oraron para que Dios hablara.

Quinto: *El bosquejo le será de ayuda al predicador en caso de que éste se exponga a alguna interrupción.* Algunas de estas interrupciones son:

1. Un recién nacido o un niño llorando.
Muchas veces en las congregaciones se escuchan a los niños llorando, lo cual interrumpe la predicación. El predicador tiene que detenerse y un diácono o alguien tratará con esta

situación. Un bosquejo se puede interrumpir y comenzar en donde se detuvo.

2. Niños inquietos o jugando.
El controlar a los niños es muy difícil especialmente durante la edad de dos a cinco años. Se les escapan a los padres y al rato los vemos corriendo, lo cual es una interrupción. Un predicador que usa bosquejo no pierde el hilo.

3. Creyentes conversando en el templo.
Esto no debiera ocurrir, pero a menudo sucede. Muchas veces los creyentes comentan algo dicho por el predicador que les ha llamado la atención. Aquellos que predican sin bosquejos pueden sentirse descontrolados por algo así. El que emplea bosquejos sigue hacia adelante.

4. La inquietud por el factor tiempo.
Son muchas las congregaciones, especialmente aquellas que son de avivamiento, que al predicador se le entrega el púlpito después que se le da parte a una gran mayoría de hermanos y de visitas. Lo tradicional es escuchar: "Ahora, hermanos, preparémonos para la mejor parte. Dios ahora nos va a hablar". Este preámbulo es quizás escuchado a la hora cuando la congregación debe estar en pie escuchando la oración de despedida. No bien comienza el predicador, ya a los quince minutos muchos hermanos comienzan a enviarle mensajes para que termine pronto. Por ejemplo se ponen a mirar el reloj, a levantarse de los asientos, a mostrar preocupación por el factor tiempo, a ponerse abrigos o sobretodos y el ministro comienza a dar señales de impaciencia.

5. Un derramamiento del Espíritu Santo.
En las iglesias de avivamiento siempre es de esperarse que el Espíritu Santo pueda dar una bendición especial. Lo dicho en Hechos 10:44 se repite muy a menudo en medio del pueblo de Dios:

Mientras aún hablaba Pedro estas palabras, el Espíritu Santo cayó sobre todos los que oían el discurso.

El bosquejo ayuda al predicador a continuar desarrollando el sermón una vez terminado el derramamiento espontáneo del Espíritu Santo.

Sexto: *Le ayudará al predicador a desarrollar un sermón completo.* La falta de notas contribuye a que el predicador a veces se detenga en un solo punto, sin tratar otros puntos coherentes al asunto. El bosquejo siempre le recuerda que no se puede detener mucho en un solo punto, que necesita moverse a otros pensamientos.

II. Las características del bosquejo

Todo bosquejo se debe caracterizar por ciertos principios. En la homilética siempre se ha usado el esqueleto imagen del bosquejo. No creo que haya otra figura más apropiada que ésta. En el esqueleto se descubre unidad, proporción, simetría, progreso y propósito. Ningún hueso del esqueleto humano está donde está por ocupar un lugar. Lo mismo tenemos que decir de las divisiones de un sermón o bosquejo. Para ser más específico describiré cada una de las características del bosquejo.

1. Unidad.

Aunque un bosquejo pueda tener dos divisiones, tres o más, en realidad el sermón es un solo asunto. Cada división tiene que unirse a la otra en el texto o asunto bajo consideración. Predicadores sin experiencia homilética hacen de las divisiones del bosquejo minisermones lo cual no debe ser. Cada división debe arrojar luz al asunto considerado.

Nos dice Sweazey:

"Aguantar un tema o texto no da necesariamente unidad".[1]

Muchos predicadores creen que por repetir el tema, el título o pasaje bíblico tienen unidad en su predicación.

2. Proporción.
El bosquejo le permite al predicador distribuir su tiempo de manera proporcionada a cada división. A menudo encontramos predicadores que le dan mucho énfasis a una división a expensas de las otras. La proporción le da lucidez a la predicación.

3. Simetría.
La simetría no aplica al hecho de tener en cada división el mismo número de subdivisiones. El homileta Juan A. Broadus nos dice:

"Y deben ser las divisiones simétricas. Aun predicadores hábiles reúnen a veces materiales tan incongruentes como lo serían una cabeza humana, un pescuezo de caballo y un cuerpo compuesto de partes de diferentes procedencia y cubierto con plumas de todas clases, y terminado en cola de pescado, según el decir de Homero. Las divisiones todas deben guardar la misma clase de relación con el asunto".[2]

Por simetría se quiere decir que una división sea hermana de la otra e hijas de un mismo asunto. Una división no debe ser extraña a la otra sino parecida pero no idéntica. Si el lector consulta mis libros "Bosquejos para predicadores" verá muchos ejemplos de simetría homilética. Sin embargo deseo presentar algunos ejemplos para aclarar lo que he expresado.[3]

Ejemplo #1

DIEZ LEPROSOS
San Lucas 17:12

I. La misma enfermedad -"...le salieron al encuentro diez hombres leprosos" (verso 12).

II. La misma distancia -"...los cuales se pararon de lejos" (verso 12).

III. La misma petición -"Jesús, Maestro, ten misericordia de nosotros" (verso 13).

IV. La misma receta -"Id, mostraos a los sacerdotes. Y aconteció que mientras iban, fueron limpiados.

V. No hubo la misma gratitud -"Entonces uno de ellos, viendo que había sido sanado, volvió, glorificando a Dios a gran voz" (verso 15).

Ejemplo #2

LA MISION INTEGRAL DE JESUS
San Mateo 4:23

I. Enseñando:

II. Predicando:

III. Sanando:

Ejemplo #3

BABEL VERSUS PENTECOSTES
Génesis 11:7; Hechos 2:4

I. Las lenguas de "Babel":

II. Las lenguas de "Pentecostés":

III. Las lenguas estáticas en el creyente:

Ejemplo #4

HACIENDO LA VOLUNTAD DE DIOS
San Marcos 3:35

I. Obedeciéndolo:

II. Siguiéndolo:

III. Reconociéndolo:

4. Progreso.
El bosquejo se mueve hacia una meta. Plantea el problema pero sugiere y ofrece la solución. Enfoca lo abstracto pero señala lo negativo pero pasa a lo positivo. De lo general dirige la atención a lo particular. Lo complicado se va tornando simple.

5. Propósito.
El bosquejo presenta lo que el sermón quiere hacer. Nos dice Sweazey: "Un sermón a menudo logra muy poco porque el predicador confunde un tópico por un propósito".[4] El bosquejo siempre debe responder al propósito del sermón y del predicador.

III. La elaboración del bosquejo

Los sermones se clasifican dependiendo del texto, textos y asunto temático. Su clasificación conforme a la homilética tradicional es:

* *Textual.*[5] Estos son aquellos que tratan de un solo pasaje bíblico o texto. Aunque bajo esta clasificación entran aquellos sermones que consideran más de un texto, pero bajo una

misma unidad. De ese mismo pasaje "emergen" las divisiones, el plan o el bosquejo.

* *Temático.*[6] Estos son aquellos donde las divisiones "emergen" no del pasaje bíblico en su análisis inmediato, sino del tema o asunto que se infiere del mismo.

* *Expositivo.*[7] La homilética tradicional considera el sermón expositivo como aquel que toma en consideración una porción extensa de las Sagradas Escrituras. En este caso las divisiones nacerán de la manera como el predicador desee considerar el pasaje. Muchos homiletas consideran el sermón expositivo como el de más contenido bíblico.

* *Mixto.*[8] En esta clase de sermón hay una combinación de cualquiera de las clasificaciones ya mencionadas. Es decir, se puede predicar un sermón textual-temático, textual expositivo, expositivo-temático.

Por otro lado los sermones se pueden clasificar por su contenido histórico, doctrinal, evangelístico, didáctico, ético-moral, biográfico, apologético, de puntos, de análisis, etcétera. Consideramos algunos de éstos:

* *Sermón biográfico.*[9] Es aquel cuyo propósito está en señalar parcial o completamente los rasgos característicos de algún personaje bíblico. Los muchos personajes bíblicos ofrecen bastante material homilético para los predicadores. Aquellos predicadores que poseen la habilidad natural para dramatizar son muy usados por Dios en este tipo de sermón. Ya que los personajes bíblicos cobran vida delante de una audiencia.

* *Sermón evangelístico.*[10] Es conocido también como el sermón "kerygmático". Su propósito es más bien el de evangelizar al oyente confrontándolo con la realidad del plan salvador de Dios en la persona del Logos eterno, Jesucristo. Todo sermón debe ser evangelístico en su aplicación.

* *Sermón ético-moral.*[11] Es de un carácter situacional en cuanto a la conducta y deberes morales. El creyente es retado a vivir en un estado moral en armonía con los principios divinos y en su trato con su prójimo.

* *Sermón doctrinal.*[12] Todo sermón de una manera u otra, resalta una o.más doctrinas cristianas. Pero el sermón doctrinal se enfoca exclusivamente en el análisis y aplicación de alguna doctrina cristiana, tal como está revelada por Dios en la Biblia.

* *Sermón apologético.*[13] En los siglos II y III la apología caracterizaba la tarea de la predicación. El propósito de este tipo de sermón es argumentar lógica y bíblicamente en favor de los principios fe y doctrinas cristianas, con la finalidad de presentarlas y defenderlas.

* *Sermón didáctico.*[14] Es de un carácter pedagógico. La verdadera predicación es también enseñanza. Pero esta clase de sermón es analítico, exegético e informativo. Está bien documentado y lógico en su exposición.

* *Sermón de puntos.*[15] Muchos han tratado de clasificar los sermones por el número de puntos. A eso se deba a que hablen del sermón de dos puntos, tres y cuatro puntos. Considero que el número de puntos es algo arbitrario con el estilo del predicador, el asunto a ser tratado, la porción bíblica y la habilidad homilética del predicador.

* *Sermón mixto.* Este es aquel que combina las características de dos o más de los ya explicados. Muy rara vez un sermón será de una caracterización independiente y única. Por decirlo así, un sermón biográfico se puede combinar con un sermón evangelístico. Aunque es un solo sermón goza de una doble caracterización en su contenido. Un sermón apologético se puede combinar con uno didáctico y aun con otro doctrinal.

La homilética tradicional ha complicado tanto la tarea de la predicación, que en vez de ser ésta una llave para los predicadores, se ha convertido en un candado de combinaciones. Sin embargo en la tarea de preparar bosquejos es imprescindible echar mano de las etiquetas empleadas para la clasificación de los sermones conforme a su base textual y a su contenido.

Los bosquejos nacen del pasaje bíblico mismo, del tema o asunto, o de alguna palabra, frase o frases del mismo texto. Las divisiones se pueden expresar en forma de preguntas o interrogaciones, a manera de retórica y de manera lógica. La forma más corriente es la consideración directa del pasaje, citando palabras o frases del mismo texto. A continuación quiero presentar algunos ejemplos de estas clases de divisiones.[16]

Ejemplo #1

"¿QUIEN SOY YO?"
Exodo 3:11
Divisiones interrogativas

I. ¿Quién soy yo como individuo?

II. ¿Quién soy yo como padre o madre?

III. ¿Quién soy yo como cristiano?

Ejemplo #2

BUSCANDO COMPAÑIA
PARA TODA UNA VIDA
Génesis 24:64-67
Divisiones interrogativas

I. ¿Por qué quiero tener novia (o)?

II. ¿Cómo saber si el noviazgo persigue fines serios?

III. ¿Cómo se puede saber si el noviazgo está en (o) fuera de la voluntad de Dios?

Ejemplo #3

VENCIENDO LAS AFLICCIONES
S. Juan 16:33
Divisiones retóricas

I. Un lugar - "En el mundo...."

II.   Una advertencia - "....tendréis aflicción"

III. Una esperanza - "...pero confiad...."

IV.   Un ejemplo - "...yo he vencido al mundo".

Ejemplo #4

"POR OTRO CAMINO"
San Mateo 2:12
Divisiones retóricas

I.   La revelación: "Pero siendo avisados por revelación en sueños..."

II.   El propósito: "...que no volviesen a Herodes..."

III. El resultado: "Regresaron a su tierra por otro camino".

Ejemplo #5

EL PELIGRO DE NO GUARDAR SECRETOS
Jueces 16:17
Divisiones lógicas

I.   Sansón jugó mucho con su secreto (Jueces 15:4-15):

II.   Sansón reveló su secreto (Jueces 16:17):

III. Sansón perdió su poder espiritual (Jueces 16:19-25).

Ejemplo #6

LAS MIGAJAS
San Marcos 7:28
Divisiones lógicas

I.   Las migajas hablan de conformidad:

II. Las migajas hablan de paciencia:

III. Las migajas hablan de humildad:

A continuación presentaré algunos métodos de cómo elaborar bosquejos para sermones textuales, temáticos o expositivos.

* *Bosquejo textual-ilativo.* La interpretación homilética enfoca directamente el texto, dividiendo el mismo en las frases naturales que éste sugiere o implica. En otras ocasiones presta atención a algunas palabras del mismo texto, las cuales sugieren el bosquejo. Los siguientes ejemplos le darán al lector una idea de lo que he expresado.[17]

Ejemplo #1

ENTRANDO AL NUEVO AÑO
CON ENTUSIASMO
Filipenses 3:13

I. Pero una cosa hago":

II. Olvidando ciertamente lo que queda atrás":

III. "Y extendiéndome a lo que está delante":

Ejemplo #2

DANDO GRACIAS POR
EL MINISTERIO
1 Timoteo 1:12

I. "Doy gracias al que me fortaleció..."

II. "A Cristo Jesús nuestro Señor..."

III. "Porque me tuvo por fiel..."

IV. Poniéndome en el ministerio".

* *Bosquejo textual-analítico.* Muchas veces el método ilativo no responde a las necesidades que el predicador quiere considerar. En este caso después de enfocar el pasaje ilativamente, el predicador escribe alguna palabra, frase u oración a cada una de sus partes. El método analítico puede ser presentado con el sistema interrogativo, retórico y lógico, el cual ya tratamos. La declaración analítica puede ir antes de la cláusula ilativa del texto o después de la misma.[18]

Ejemplo#1

"VOSOTROS ME LLAMAIS MAESTRO"
S. Juan 13:13

I. La definición del maestro, "me llamáis Maestro...":

II. La opinión del discípulo, "y decís bien":

III. La autorrealización del Maestro, "porque lo soy":

Ejemplo #2

EL LIDER COMO MODELO
Gálatas 4:12

I. La súplica: "Os ruego, hermanos...":

II. La petición: "Que os hagáis como yo...":

III. La razón: "Porque yo también me hice como vosotros...":

* *Bosquejo textual o analítico-invertido.* La mayoría de los predicadores en ocasiones ven que la secuencia y orden del texto, no es como ellos los quieren considerar. En este caso el predicador tiene la opción de invertir el orden del pasaje sea éste ilativa o analíticamente.

Recordemos que las divisiones o plan del sermón deben responder a un orden lógico y progresivo. Los ejemplos que les vuelvo a presentar al igual que todos los anteriores han sido escritos por mí.[19]

Ejemplo #1

ONESIMO
Filemón 10-11

I. Onésimo le robó a su amo (verso 18).

II. Onésimo huyó de su amo (verso 15).

III. Onésimo regresó a su amo (verso 17).

Ejemplo #2

EL HERMANO DEL PRODIGO
S. Lucas 15:28

I. Tipo del creyente fiel (verso 29):

II. Tipo del creyente que se enoja (verso 28):

III. Tipo del creyente que tiene que aprender a perdonar (versos 31 al 32):

* *Bosquejo temático-textual.* El tema está claro y visible en el texto. Las divisiones arrojarán luz al referido tema. Las mismas se pueden enunciar a manera interrogante, retórica o lógica.[20]

Ejemplo #1

LA FAMILIA DE LA FE
Gálatas 6:10

I. Es santa:

II. Es unida:

III. Es cuidadosa:

Ejemplo #2

LA AUTOJUSTIFICACION
San Lucas 6:42

I. Nos impide vernos a nosotros mismos:

II. Nos impide ver a otros:

III. Se repele con la presencia de Dios:

* *Bosquejo temático - doctrinal.* La doctrina a considerarse está sugerida en el texto. Por lo tanto, esa doctrina viene a ser el tema inmediato a ser considerado. Pero ese tema nacerá de la luz que le es arrojada por el mismo texto, pudiendo considerarse dicha doctrina en otros pasaje bíblicos. Las divisiones se pueden expresar retórica, lógicamente, interrogativa o mixta.[21] Comúnmente se le conoce a esta clase de sermón como el temático-doctrinal. Los predicadores conferencistas emplean mucho este método.

Ejemplo #1

EL REGALO DE LA VIDA ETERNA
San Juan 4:14

I. Viene de Dios:

II. Es dado en la persona de Jesús:

III. Es gratuito:

Ejemplo #2

EL AMOR ES SUFRIDO
San Lucas 22:63-65

I. Jesús rechazado:

II. Jesús traicionado:

III. Jesús vituperado:

* *Bosquejo temático-independiente.* El texto se usa como base a la exposición. El contenido del sermón no depende de la consideración temática textual o temática doctrinal. Las divisiones surgen de manera sintética sin ninguna relación al texto, pero sí al tema que el predicador tiene en mente.[22]

Ejemplo #1

EL CRECIMIENTO
S. Marcos 4:28

I. Es excitante:

II. Es experimental:

III. Es gradual:

Ejemplo #2

PABLO TUVO DECEPCIONES
2 Corintios 11:29

I. Demas lo desamparó (2 Timoteo 4:10):

II. Alejandro, el calderero, le causó muchos males (2 Timoteo 4:14):

III. La iglesia que fundó en Corinto lo menospreció:

* *Bosquejo expositivo-ilativo.* Las divisiones surgen de declaraciones textuales del pasaje. La diferencia entre el bosquejo textual ilativo y el expositivo ilativo, es que el primero considera las divisiones naturales del texto tratado, y éste considera las divisiones naturales de varios textos que están continuos en un mismo pasaje.[23]

Ejemplo #1

DANDO GRACIAS AL CREADOR
Salmo 100:4

I. En el cántico - "Cantad alegres..." (verso 1):

II. En el servicio - "Servid a Jehová con alegría..." (verso 2):

III. En el reconocimiento - "Reconoced que Jehová es Dios..."(verso 3):

IV. En la adoración - "Entrad por sus puertas..." (verso 4):

* *Bosquejo expositivo-ilativo-analítico.* Aquí se sigue el mismo proceso del bosquejo textual ilativo analítico. El bosquejo es un ejemplo de esto.

* *Bosquejo expositivo-ilativo o analítico invertido.* Se aplica el mismo proceso del bosquejo textual ilativo o analítico invertido.

* *Bosquejo expositivo-temático.* El homileta descubre en el pasaje un tema central el cual lo conecta al resto del pasaje. Las divisiones nacerán de dicho tema desde los diferentes versículos. El tema en este caso nace incidentalmente del pasaje bíblico.[24]

Ejemplo #1

EL LIBRO PECULIAR
San Juan 5:39

I. La Biblia es peculiar en su contenido:

II. La Biblia es peculiar en su propósito:

III. La Biblia es peculiar en su interpretación:

De lo antes expuesto hemos aprendido que las divisiones principales se tienen que elaborar primero. Una vez que el predicador tiene estas divisiones se puede mover a desarrollar las subdivisiones.

El propósito de las subdivisiones es ampliar, desarrollar y explicar las divisiones principales. Cada división se debe ir desarrollando con sus subdivisiones, antes que el predicador se mueva al desarrollo de las otras. Reitero, primero se elaboran las divisiones principales, luego se elaboran por separado cada una de las divisiones principales por medio de subdivisiones.

Así como en un sermón puede haber dos o más divisiones, también el número de subdivisiones puede variar de una división a otra. Para ser más claro, en una división puede haber dos subdivisiones. Pero en otra división del mismo sermón puede haber cuatro o más subdivisiones.

Por otra parte, las subdivisiones pueden dar lugar a la vez a subdivisiones. Pero el predicador debe evitar en todo lo posible las subdivisiones de las subdivisiones.

A este proceso de divisiones les podemos nombrar como divisiones principales (ej. I, II, III); divisiones secundarias (1, 2, 3, 4); y divisiones terciarias (a, b, c).

El predicador debe siempre enunciar sus divisiones principales, pero no las subdivisiones. Hay casos particulares cuando el predicador necesitará mencionar en orden numérico las subdivisiones de alguna división. Esta es la excepción pero no la regla. De igual manera no siempre se tienen que mencionar las divisiones principales, sino desarrollarlas durante la exposición.

Entre una división principal ya desarrollada al comienzo de otra división principal, el predicador construirá puentes conexivos. Por ejemplo: "Pasemos ahora a considerar la segunda cláusula de éste sermón". "Les invito a la segunda reflexión". "Ahora entramos al tercer argumento de este sermón".

Se deben evitar frases como éstas: "Miremos este otro punto". "Escuchen este tercer punto". "Aquí vemos también..." "Si me permiten les diré algo más". "Otra vez quiero enfatizar otro punto". Esa idea de hablar de "puntos" en la homilética ya está arcaica.

BOSQUEJO

Introducción:

La mayoría de los manuales homiléticos no tratan el tema de la elaboración del bosquejo y de su empleo. En esta exposición analizaremos: Primero, la necesidad del bosquejo. Segundo, las características del bosquejo. Tercero, la elaboración del bosquejo.

I. La necesidad del bosquejo:

El bosquejo es doble, primero se hace un bosquejo simple con las divisiones o ideas principales, segundo se hace un bosquejo ya elaborado con las subdivisiones.

Todo bosquejo consta de divisiones principales y de subdivisiones.

1. El bosquejo ayuda al predicador a comunicar el sermón organizadamente y en secuencia. Hoy en día nos encontramos con varias clases de predicadores que por la falta de usar bosquejos aburren a la audiencia.

   A. *El predicador "perdido"*. Este desde que anuncia el título o tema del sermón hasta que termina está perdido.
   B. *El predicador "alabanza"*. Por no emplear bosquejos recurre a las alabanzas para rellenar su sermón.

C. *El predicador "experiencia"*. El contenido de sus sermones son sus experiencias.

D. *El predicador "visionario"*. Predica no de lo que Dios está revelando en la Palabra, sino de lo que en su experiencia extática él ve en la congregación.

2. El bosquejo le ofrece al predicador ciertas libertades al comunicar.

A. La experiencia de seguridad.
B. La experiencia de confianza.
C. La experiencia de haber estado en diálogo con Dios.

3. El bosquejo ayuda al predicador a recordar ideas que de otra manera las hubiera olvidado.

4. Le permite al predicador mantenerse en su tema, asunto o pasaje bíblico.

5. El bosquejo le será de ayuda al predicador en caso de que éste se exponga a alguna interrupción.

6. Le ayudará al predicador a predicar un sermón completo.

II. Características del bosquejo:

En la homilética siempre se ha usado el esqueleto como imagen del bosquejo. En el esqueleto se descubre unidad, proporción, simetría, progreso y propósito.

1. *Unidad*. El sermón es un solo asunto.

2. *Proporción*. El bosquejo le permite al predicador distribuir su tiempo de manera proporcionada a cada división.

3. *Simetría*. Por simetría se quiere decir que una división sea hermana de la otra e hijas de un mismo asunto.

4. *Progreso*. El bosquejo se mueve hacia una meta.

5. *Propósito*. El bosquejo presenta lo que el sermón quiere hacer.

III. La elaboración del bosquejo:

1. Los sermones se clasifican dependiendo del texto, textos y asunto temático.

   A. *Textual*. Trata de un solo pasaje bíblico o texto. Las divisiones "sangran" del mismo.

   B. *Temático*. Las divisiones "sangran" del tema o asunto inferido.

   C. *Expositivo*. Toma en consideración una porción extensa de las Sagradas Escrituras.

   D. *Mixto*. Es una combinación textual-temática, textual-expositiva o expositivo-temático.

2. Los sermones se clasifican por su contenido o carácter.

   A. *Biográficos*. Señala parcial o completamente los rasgos de algún personaje bíblico.

   B. *Evangelístico*. Se le llama también "kerygmático". Todo sermón debe ser evangelístico en su aplicación.

   C. *Etico-moral*. Es de carácter situacional en cuanto a la conducta y deberes morales.

   D. *Doctrinal*. Se enfoca exclusivamente en el análisis y aplicación de alguna doctrina cristiana.

   E. *Apologético*. Argumenta lógica y bíblicamente a favor de los principios de fe y doctrinas cristianas.

   F. *Didáctico*. Es analítico, exegético e informativo.

   G. *De puntos*. Muchos clasifican el sermón por el número de puntos.

   F. *Mixto*. Combina las características de dos o más de los mencionados.

3. Los bosquejos nacen o sangran del pasaje bíblico mismo, del tema o asunto o de alguna palabra, frase o frases del mismo texto. Las divisiones se pueden expresar en forma de preguntas, retórica o lógicamente. La forma más corriente es la consideración directa del pasaje citado, palabras o frases del mismo.

A. *Bosquejo textual-ilativo.* Se enfoca directamente en el texto, dividiendo el mismo en las frases naturales que éste sugiere.

B. Bosquejo textual-analítico. Después de enfocarse el pasaje ilativamente, el predicador escribe alguna palabra, frase u oración a cada una de sus partes. La declaración analítica puede ir antes de la cláusula ilativa del texto o después de la misma.

C. *Bosquejo textual-analítico-invertido.* El predicador tiene la opción de invertir el orden del pasaje sea ilativa o analíticamente.

D. *Bosquejo temático-textual.* Las divisiones arrojan luz al tema del texto.

E. *Bosquejo temático-doctrinal.* El tema "sangrará" de la luz que le es arrojada por el mismo texto, pudiendo considerarse dicha doctrina en otros pasajes bíblicos.

F. *Bosquejo temático-independiente.* Las divisiones surgen sintéticamente sin relación al texto, pero sí al tema que el predicador tiene en su mente.

G. *Bosquejo expositivo-ilativo.* Aquí se consideran las divisiones naturales de varios textos que están continuos en un mismo pasaje.

H. *Bosquejo expositivo-ilativo-analítico.* Sigue el mismo proceso del bosquejo textual-ilativo-analítico.

I. *Bosquejo expositivo-ilativo o analítico-invertido.* Se aplica el mismo proceso del bosquejo textual-ilativo o analítico-invertido.

J. *Bosquejo expositivo-temático.* Las divisiones "sangrarán" del tema desde los diferentes versículos.

4. De lo antes expuesto aprendemos que las divisiones principales se tienen que elaborar primero. Una vez realizado esto, se desarrollan las subdivisiones.

5. Así como en un sermón pueden haber dos o más divisiones, también el número de subdivisiones pueden variar de una división a otra.

6. En un bosquejo se deben evitar las subdivisiones de las subdivisiones.

7. El predicador debe enunciar las divisiones principales, pero no las subdivisiones.

8. El predicador construirá puentes conexivos de una división principal a la otra.

Conclusión: La elaboración y empleo del bosquejo es ya medio sermón predicado. Bienaventurado el predicador que se prepara bien para predicar bien.

Notas bibliográficas

1. George E. Sweazey, Preaching The Good News. Prentice Hall: New Jersey, p. 75.

2. Juan A. Broadus, Tratando sobre la predicación. Casa Bautista de Publicaciones, pp. 177-178.

3. Kittim Silva, Bosquejos para predicadores, Vol. II. Editorial CLIE, pp. 73-74; 215-216; 31-32; 165-166. Aquí podrá leer los bosquejos en su totalidad.

4. Sweazey, ob. cit., p. 74.

5. Kittim Silva, Bosquejos Para Predicadores, Vol. I, pp. 193-194.

6. Ibid., pp. 115-116.

7. Ibid., pp. 179-184.

8. Ibid., pp. 243-244.

9. Bosquejos para predicadores, Vol. II, pp. 154-155.

10. Ibid., pp. 119-120.

11. Bosquejos para predicadores, Vol. I, pp. 263-264.

12. Ibid., pp. 219-221.

13. Ibid., pp. 367-370.

14. Ibid., pp. 375-381.

15. Clarence S. Roddy. Diccionario de la predicación: Homilética, p.23.

16. Bosquejos para predicadores, Vol. I., pp. 137-138; 247-250; 146-149; 294-296; 117-118; 125-126.

17. Ibid., pp. 31-32; 257-258.

18. Ibid., pp. 66-67; 259-260.

19. Bosquejos para predicadores, Vol. II, pp. 297-298; 113-114.

20. Ibid., pp. 203-204; 193-194.

21. Ibid., pp. 135-136; 89-90.

22. Ibid., pp. 97-98; 305-306.

23. Bosquejos para predicadores, Vol. I, pp. 43-44.

24. Ibid., pp. 51-52.

5

La entrega del sermón

La construcción del sermón con su plan es muy importante en la tarea de la predicación. Pero un plan requiere varios mecanismos de comunicación para ser efectivo. Sobre este particular Orlando Costas sugiere tres consejos al predicador como responsabilidad homilética: "(1) No debe llegar al púlpito sin haberse preparado física, y emocionalmente. (2) No debe llegar al púlpito sin haber estado en contacto previo con Dios. (3) No debe llegar al púlpito sin antes haber pensado bien lo que ha de decir, a quién lo ha de decir y cómo lo ha de decir".[1]

I. Los métodos

1. Memorizando el discurso.
Este método no es popular entre los predicadores del evangelio. En siglos pasados muchos predicadores se hicieron expertos memorizando el discurso.

Este método confronta varios obstáculos: Primero, el predicador debe gozar de una excelente memoria, la cual, honestamente hablando, pocos tenemos. Segundo, el predicador puede caer víctima de algún factor personal (subjetivo) o fuera de sí (objetivo), que le haga perder su memoria momentáneamente.

Tercero, los oyentes no reciben con buen agrado la recitación de un sermón. Esto da la impresión de que el predicador está muy mecánico.

Sé de muchos predicadores que escriben su sermón, luego lo estudian y lo comunican de memoria. El doctor Robert Schuller es un ejemplo de esto. Pero notemos cuán vivo y natural es cuando está ministrando. Aunque escribe su sermón, no memoriza palabra por palabra, sino más bien lo hace como preparación para la exposición.

2. Leyendo el sermón.
Este método ofrece varias ventajas: Primero, el predicador puede hablar con pensamientos y palabras elaboradas. Segundo, no tiene lugar para ambigüedades, es decir añadir o dejar de decir algo que no estaba programado.

Por otro lado el sermón leído tiene varias desventajas: Primero, el predicador se vuelve muy autómata. Segundo, el que lo emplea debe saber leer bien y con rapidez. Fácilmente el predicador se puede equivocar de línea y así confundir sus pensamientos. Tercero, el contacto visual es muy pobre, lo cual afecta en un alto porcentaje la atención de sus oyentes.

"La primera vez que escuché un sermón leído", dijo Spurgeon, "me supo a papel y se quedó atorado". Para Spurgeon el sermón leído era simplemente papel.

El sermón leído en el otro extremo es el método recomendable para predicar a través de la radio. El predicador radial necesita saber lo que dice y en cuánto tiempo lo dirá. Su audiencia lo recibe a través del sentido del oído. El predicar a una audiencia invisible le permite leer todo su sermón o enseñanza, siendo efectivo. Quien esto escribe es predicador radial y siempre he usado el método de escribir lo que comunico por las ondas radiales. Esto me permite tener un buen control de los pensamientos, de la modulación de la voz y de la pronunciación.

3. Extemporáneamente.

En este método el predicador es muy natural. Los predicadores extemporáneos son los favoritos entre los oyentes. Entre el predicador y el oyente se establece un diálogo. La comunicación eficaz no es sólo hablar sino ser también escuchado. La predicación extemporánea puede ser sin notas escritas. El predicador no tiene a su vista nada escrito para recordar los pensamientos del sermón. Hay dos clases de predicadores extemporáneos: Primero, el que predica como ya dijimos sin notas escritas. Pero en su predicación se aprecia que se ha preparado bien. Muestra un control de su tema y se evidencia de que sabe lo que está hablando y a dónde quiere llevar a la audiencia. Segundo, el que predica extemporáneamente con notas. El predicador tiene ante sí un plan o bosquejo que lo auxiliará durante su exposición. Todo predicador debe tener el hábito de emplear notas aunque no dependa de ellas. El bosquejo puede ser simple, o sea el esquema de las ideas principales. También puede ser un bosquejo completo.

Las notas escritas le ayudarán a preservar muchos de los pensamientos. No sólo para esa primera predicación sino para otras futuras. Un buen sermón se debe repetir cuantas veces sea necesario. Sin notas es muy difícil recordar qué fue lo que el Espíritu Santo nos ha revelado sobre un pasaje particular. Si un sermón ha sido de bendición a una congregación ¿por qué no lo será a otra?

4. Improvisadamente.

Para mí, esta es la predicación que nace en el momento. Donde el predicador no se ha preparado debidamente para la ocasión. Esta clase de predicadores imporvisados toman un pasaje bíblico al azar. Lo visten de varias experiencias sensacionales. Apelan mucho al emocionalismo. Desde luego, hay predicadores que son tomados de improviso y se les presenta a predicar. En este caso un predicador puede decir que no. Pero también puede salir a flote de la situación repitiendo algún sermón que recientemente haya predicado.

Todo predicador debe llevar consigo a todo culto de adoración dos o tres bosquejos para predicar.
Costas dice:

> "Se corre el peligro de una preparación mental y espiritual inadecuada, se prestan para mucha repetición, la verborragia, y una sobredependencia de los sentimientos del momento".[2]

Desde luego Costas aplica esto al método de entrega espontáneo. Lo cual creo que describe más bien el método improvisado.

II. La manera

En la exposición hay que poner en práctica varios principios de comunicación oral. Yo le llamo las ruedas de la homilética. Simplemente mencionaré algunos, aunque son muchísimos más.

1. Sea claro.
El que no entiende algo y no lo tiene claro en su mente no podrá comunicar con claridad. La tarea del predicador es simplificar y aclarar todo concepto para que los oyentes lo puedan entender. La claridad exige que se emplee el mejor vocabulario y que se tenga la mejor organización en el sermón o discurso. El predicador que no es entendido por sus oyentes no está comunicando. Ha hablado pero no ha predicado. Cuando el oyente dice de un predicador: "No sé lo que dijo". Significa que éste no habló claro.

Juan A. Broadus dice:

> "Nos proponemos hacer bien con nuestra predicación, pero esto es imposible si no se nos entiende. La obscuridad en nuestro lenguaje puede excitar cierta admiración, pero no hacer bien alguno".[3]

Una predicación puede ser obscura en el empleo de un vocabulario inadecuado que se mueva a ambos extremos del péndulo. Es decir, hablar muy pobremente o hablar muy elocuentemente.

2. Sea directo.

El oyente tiene que tener la impresión de que el predicador se dirige a él, aunque haya cientos de personas congregadas o escuchando. El predicador apunta hacia el corazón y no a la mente. Es en el corazón donde el mensaje divino hace su efecto. Vaya al grano y diga lo que tiene que decir. La predicación no es hablar de la Iglesia. Es hablar a la Iglesia. No es sencillamente hablar de algo, es hablar a alguien. El predicador habla al oyente. Debe ser directo pero no demasiado. Esto último puede darle la impresión al oyente de que sólo se está refiriendo a él o a ella. Minístrele a ese oyente pero déle la impresión de que le está ministrando a su vecino en el banco o en la silla.

3. Sea convincente.

El que escucha debe quedar convencido de la veracidad de lo que se predicó. Esa credibilidad a la predicación se la da la Biblia, el Espíritu Santo y la propia vida o conducta del predicador. El trabajo del predicador es convencer mediante la gracia del Señor Jesucristo.

Ahora, el predicador debe cuidarse de no tratar de manipular a los oyentes. El tratar de usar a otros para nuestro propio lucro y bienestar es algo que desagrada a Dios. En Génesis 25:29 leemos: "Y guisó Jacob un potaje; y volviendo Esaú del campo, cansado". Notemos que Jacob preparó un potaje y su hermano vino cansado. Esaú le pidió que le diera del mismo (verso 30). Jacob se aprovechó del cansancio de Esaú y le dijo: "Véndeme en este día tu primogenitura" (verso 31). Esaú no había valorizado su primogenitura en su estado de cansancio y de hambre. Pero Jacob fue un oportunista.

En Génesis 27:22 leemos: "Y se acercó Jacob a su padre Isaac, quien le palpó, y dijo: La voz es la voz de Jacob, pero las manos, las manos de Esaú". Isaac se había quedado ciego (verso 1). Jacob lo convenció de que él era Esaú. Se vistió como éste y se puso piel de cabritos para aparentar que era velludo (versos 15 al 16). Pero irónicamente, Isaac se encuentra en un dilema con "la voz de Jacob" y con "las manos de Esaú".

Al momento de este escrito la iglesia en los Estados Unidos está debilitándose. Una conocida personalidad cristiana de la televisión vio su techo de cristal romperse. Por siete años tenía "voz de Jacob" pero "manos de Esaú". Después de haber cometido adulterio, este moderno David de los tiempos electrónicos, fue víctima de un chantaje por parte de la mujer con la cual cayó. El logró convencer por "siete tiempos" a otros de lo que realmente ya no era.

El predicador debe cuidarse de no ministrar para el Señor sin el Señor. El ministrar desenchufados de la fuente divina de poder, nos llevará a apagarnos. Tristemente son muchos los que pastorean para el Señor, sin el Señor, enseñan para el Señor, sin el Señor; cantan para el Señor, sin el Señor.

4. Sea dinámico.
Los predicadores de ciertas culturas son más dinámicos que los de otras. Aunque siempre hay excepciones. Pero lo cierto es que el predicador dinámico es el favorito. Se decía de Billy Sunday que era "un sermón encarnado". Los predicadores quietos, que parecen "momias homiléticas", no mueven a las multitudes. La Palabra de Dios es viva, por lo tanto el que la predica debe estar saturado de esa vida.

Aquellos que han podido escuchar a R.W. Schambach, saben que mundialmente es uno de los predicadores más dinámicos del presente. La gran diferencia entre un maestro de la Biblia y un predicador es que el primero no tiene que ser dinámico, pero el segundo si no es dinámico le falta algo.

Juan A. Broadus dice: "La principal condición para un estilo enérgico es una enérgica naturaleza. Debe haber pensamiento vigoroso, sentimiento sincero o más bien apasionado, y un propósito firme de lograr un fin determinado, para que el estilo del hombre tenga verdadera y exaltada energía... pero si un hombre carece de fuerza de carácter y de un alma apasionada, jamás será elocuente".[4]

Broadus también declara: "Otro error serio y muy común es el de mantener una energía uniforme durante todo el discurso... pues de esa manera se hace imposible que se note la prominencia que deben tener ciertas ideas y períodos".[5]

Muchos predicadores son demasiado enérgicos en la predicación. Según se modula la voz hablando en ocasiones rápido, despacio o normal. La dinámica del predicador debe variar. Sus acciones corporales deben estar sincronizadas con los pensamientos expresados verbalmente. La mucha acción de parte del predicador puede llegar a cansar a una audiencia. El predicador debe guardar la mayoría de sus energías para después de la mitad de la predicación. Hay quienes en la primera mitad de la predicación gastan todas sus energías y después están vacíos de la misma.

La dinámica en el predicador no se debe confundir con el emocionalismo. Yo le llamo a los que son muy emocionales, que dan patadas, brincan y corren por la plataforma como si fuera un hipódromo eclesiástico, los "predicadores machinas". Una cosa es unción y otra es emoción.

5. Sea natural.

Ese tono clerical que muchos asumen para predicar es falso y fastidioso. Entre más natural es un predicador más en contacto se pone con su audiencia.

Dale Carnegie dijo: "Una buena ventana no llama la atención hacia sí misma. Un buen orador es como eso. El es tan natural que sus oyentes nunca notan su manera de hablar; ellos están conscientes solamente de su materia".[6] Por naturalidad en la predicación, se debe entender, que el predicador no debe estar copiando o actuando el papel de otro predicador. La imitación nunca se aprecia tanto como la originalidad.

6. Sea motivador.

Todo predicador tiene la función de motivar. La Palabra de Dios entre sus efectos produce motivación. La motivación impele a la acción y realización de algún propósito. Motivar es contagiar a otros a tomar una decisión. Por ejemplo, si queremos que alguien haga algo para nosotros y estamos en una posición de autoridad, podemos hacer dos cosas: Primero, exigirle que lo haga. La persona lo hará de mala gana. Pero no hará lo mejor. Segundo, motivarle para que lo haga. La persona lo hará de buen gusto, sintiendo que ha sido su idea y hará lo mejor. El predicador debe siempre descubrir qué motivación tendrá su exposición durante la predicación.

La siguiente ilustración es oportuna. A un pastor de Boston le preguntaron: "¿Cómo puede lograr tener ese progreso en su iglesia?" Su respuesta fue: "Porque yo predico dos veces a la iglesia cada domingo, y sus cuatrocientos miembros predican un sermón en el mundo cada día".

Indudablemente este pastor con sus predicaciones sabía motivar a la feligresía que ministraba. La motivación es clave para el éxito del predicador. En una audiencia motivada habrá siempre buenos resultados y disposición de los oyentes para hacer lo que la predicación pide.

7. Sea un arquitecto con las palabras.

El doctor Cecilio Arrastía y el doctor José A. Caraballo son la clase de predicadores que ante los oyentes, mediante el empleo de palabras, pueden dibujar imágenes mentales. En el arte de la retórica hay que tener un buen dominio del idioma y mucha habilidad verbal.

Broadus dice:

> "La dramatización da al discurso una vida, vigor y encanto que no pueden ser superados. Personificar un carácter y expresar sus sentimientos, introducir un contrincante y asentar objeciones contestándolas punto por punto, sostener un diálogo entre dos personas supuestas, producir alguna escena mediante una descripción

dramática, son métodos que todos los oradores de renombre usan en mayor o menor grado, y de ellos abundan ejemplos en Demóstenes, Crisóstomo, Spurgeon, etcétera".[7]

En 1 Samuel 11 se nos declara cómo los de Jabes hicieron una alianza con Nahas el amonita. El hermano Schambach en uno de sus sermones dijo:

> "Nahas es el enemigo, el amonita. Aun no me gusta su nombre, Nahas. No me gusta picar". Pero en el inglés él hizo un juego de palabras con el nombre de Nahas que es Nahash y la palabra inglesa "hash" que significa "picar".[8]

8. Sea imaginativo.
Las historias bíblicas en la imaginación tienen también sus límites. No debemos imaginarnos más de la realidad escondida detrás del pasaje o historia bíblica.

Sobre este particular dice Broadus: "Para impartir animación y pasión al estilo es preciso apelar a la imaginación. Sólo de objetos individuales podemos formarnos imágenes, y es mucho más fácil imaginar un objeto que pertenezca a una especie, como un lirio, que uno que pertenezca a un género, como una flor".[9]

9. Sea ejemplo.
No prediquemos a otro lo que no nos aplicamos. Muchos predicadores son signos de interrogación. Entre lo que se dice y lo que se hace no debe existir una pared de separación. Todo predicador después de ser escuchado es observado por los oyentes. Seamos transparentes del dicho al hecho.

Una antigua ilustración de Francisco de Asís relata que en una ocasión cuando éste entró al monasterio, vio a un joven y le invitó a que fuera a la aldea a predicar con él. Mientras iban caminando conversaban. Cuando se terminó el viaje el joven monje le preguntó: "Padre, ¿cuándo es que comenzaremos a predicar?" A lo que le respondió Francisco: "Mi hijo, hemos estado predicando. Predicábamos mientras caminábamos. Hemos sido vistos y mirados; nuestra conducta ha sido observada; de modo que hemos predicado un sermón matutino".

10. Sea entusiasta.

El entusiasmo contagia. Según la etimología en el griego viene la palabra "entusiasmo" de dos palabras "en theos". Es decir con Dios adentro. De un predicador no deben surgir pensamientos pesimistas o negativos al estar delante de una audiencia. Por el contrario verá alegría donde hay tristeza, poder donde hay debilidad y fe donde hay dudas.

11. Sea humilde.

El predicar es un asunto de gracia. Los títulos no deben llenarle la cabeza de humo. El orgullo es la carcoma que inutiliza a los predicadores. Es mejor subir a una plataforma como "Don Nadie" y bajar como "Don Alguien", que subir como "Don Alguien" y bajar como "Don Nadie".

En una ocasión un joven predicador pronunció un elocuente sermón. Cuando terminó alguien le preguntó cuánto tiempo le había tomado preparar ese sermón. Su respuesta fue: "Varios días". Su interlocutor le contestó: "Pues a mí, me llevó varios años. Yo soy Henry Ward Beecher".

Beecher el pastor de Abraham Lincoln, había escuchado a ese joven predicar uno de sus sermones publicados. Luego le escribió al joven para que dejara esa costumbre, lo cual ayudó mucho a ese joven.

En una ocasión un anciano predicador después de escuchar a un predicador pomposo que fracasó en su predicación, le dijo a éste: "¡Si hubieras subido como bajaste!"

12. Sea amigable.

El predicador no es un profesional sino un servidor de la Iglesia de Cristo. El entrar a una plataforma a escondidas y el desaparecer a escondidas, es algo que no debe ser practicado por ningún siervo del Señor. No negamos que predicadores famosos son muy buscados y solicitados, pero aun así deben mezclarse con la multitud y por lo menos saludarlos.

La grandeza de los hombres y mujeres de Dios se revela en el servicio que dan a la Iglesia de Jesucristo. El predicador debe cultivar el arte de ser amigo de la congregación.

13. Sea realista.

Muchos predican sin estar conscientes de lo que dicen. Hablan de metas ilusorias. Emplean ilustraciones fantásticas e hiperbólicas, que no sólo despiertan dudas, sino que afectan la credibilidad del predicador. El ser realista en lo que se predica, es una virtud que debe ser cultivada por los predicadores. ¿Es la meta de la predicación impresionar o transformar? Con toda seguridad usted comparte mi opinión. La predicación tiene como finalidad transformar a los oyentes mediante la Palabra de Dios y el Espíritu Santo.

Blackwood declara:

> "La fantasía procura hacer que el oyente vea lo que no es real... Por el empleo de la fantasía el predicador ingenioso puede hacer que determinado pasaje de la Biblia signifique lo que él quiera".[10]

Los predicadores tenemos que huir de las cifras infladas para causar impresión en los oyentes. El fabricar experiencias para apelar al sensacionalismo, es una violación ética a la predicación. Los más que sufren del mal de exageración son los evangelistas. Tengamos cuidado, compañeros predicadores.

14. Sea visionario.

Dice la Biblia: "El pueblo sin visión perecerá". El que predica debe tener siempre una visión que comunicar a sus oyentes. La falta de proyectos a desarrollarse, se debe a que carecemos de predicadores visionarios. Nuestro pueblo quiere marchar, venciendo el obstáculo del Mar Rojo y el largo desierto, pero se necesita a un moderno Moisés que nos describa lo que es la tierra prometida con su figura de "leche y miel".

Según Blackwood la imaginación debe ser descriptiva, creativa y constructiva.[11] Dice Blackwood: "En el desarrollo del sermón, la imaginación debe guiar en cada etapa. En cualquier etapa este poder dado por Dios puede estar trabajando de una manera descriptiva, constructiva o creativa".[12]

15. Sea templado.
La predicación más que emoción del que predica necesita contenido. Los buenos predicadores son aquellos que tienen algo que comunicar y lo comunican. Es triste ver a tantos aspirantes al púlpito que lo que saben hacer es gritar, dejando casi sordos a los oyentes. Pero lo menos que hacen es predicar. ¡Bienaventurado el predicador que sabe predicar!

El predicador tiene que aprender a tomar control de cualquier situación. Nada ni nadie lo debe desviar de su propósito. La templanza forma parte del fruto del Espíritu (Gálatas 5:23). La palabra griega de la cual se traduce "templanza" es "egkrateia", que literalmente significa "dominio propio".

La falta de dominio propio ha metido a muchos predicadores en dificultades, problemas y en situaciones embarazosas. Hay que tener control de lo que se dice y cómo se dice. Una buena predicación no debe sufrir por una o dos personas que no estén prestando atención.

16. Sea espiritual.
El predicador ante una congregación tiene que ser auténtico, verdadero, genuino y transparente. Lo que predica es un reflejo de lo que practica. Los predicadores son ejemplos para los oyentes. En 1ª Timoteo 4:12 Pablo aconsejó a Timoteo para que fuera "ejemplo de los creyentes". La palabra griega de la cual se traduce "ejemplo" es "tupos", significando literalmente "modelo". Ese versículo bajo consideración conforme a la traducción más correcta del griego se leería: "Nadie menosprecie de ti la juventud, sino hazte modelo de los fieles en palabra, en conducta, en amor, en fe, en pureza".

Detrás de toda buena predicación aparece una vida de espiritualidad. El predicador debe vivir lo más consagrado a Dios posible, y andar lo más alejado del mundo posible. Su vida espiritual transpirará en sus sermones. Si algo da poder a la predicación es la oración. Alguien dijo: "Un sermón bien orado, es medio sermón bien predicado". Precisamente es en esta área donde los predicadores se descuidan y por eso a sus predicaciones siempre les falta algo.

III. Lo que se debe evitar

En la exposición son muchas las cosas que se deben evitar. De tiempo en tiempo los predicadores nos encontramos creando malos hábitos homiléticos. Dale Carnagie citó las palabras de Lord Morley: "Tres cosas importan en un discurso: quién lo dice, cómo lo dice y qué dice, y de estos tres, el último importa menos".[13]

1. Evite repetir los mismos pensamientos.
La redundancia y la repetición de palabras tienen su lugar en la oratoria. Pero el predicar siempre lo mismo o el repetir en un mismo sermón lo que ya se dijo es algo que cansa al oyente.

Según Carnagie el secreto de una buena entrega incluye:

(1) Acentúe las palabras importantes, subordine las menos importantes.
(2) Cambie su tono.
(3) Varíe la velocidad al hablar.
(4) Haga pausa antes y después de ideas importantes.[14]

Hay predicadores que sólo saben predicar un solo sermón. Le cambian el pasaje bíblico y le dan un nuevo título, pero predican lo mismo. El predicador debe esforzarse por sacar de su tesoro "cosas viejas" y "cosas nuevas". Por eso debe ser amante del estudio y de la lectura. La pedantería no tiene lugar en el llamamiento divino.

2. Evite tomar el nombre de Dios, de Jesucristo o del Espíritu Santo en vano.
No se le debe acreditar a Dios nuestros errores o faltas. Muchos dicen: "Yo predicaré lo que el Señor me ordenó predicar". A los minutos de estar predicando descubrimos que del menos que predican es del Señor. Ellos se predican a sí mismos, presentándose como héroes de un rodeo espiritual. Dios no puede ser usado como un salvavidas homilético.

3. Evite hacer promesas en el nombre del Señor si éste no le ha dado revelación a su espíritu.
Se le falta a Dios cuando se juega con la fe y los sentimientos de creyentes sinceros. Muchos evangelistas prometen muchos "especiales" o "gangas" espirituales.

Al final nos damos cuenta de que todo era un simulacro. Por ejemplo un famoso evangelista norteamericano declaró que si antes del 31 de marzo de 1987 no entraban a su ministerio ocho millones de dólares para ser invertidos en la obra misionera, enviándose personal médico a lugares en el extranjero que necesitan atención médica, Dios le quitaría la vida. El asunto no es si Dios habla a los hombres y mujeres hoy día como en días pasados. Sino, ¿habló este evangelista en fe o fue movido por la presunción?

4. Evite la vulgaridad al hablar.
Hay palabras y dichos que son indignos de ser pronunciados por los hijos de Dios. El lenguaje mundano no tiene cabida dentro de una congregación. El ministro o predicador debe ser la persona que mejor se exprese dentro de la comunidad de los santos.

5. Evite el humorismo extremado.
El humorismo empleado moderadamente ayuda a mantener cierto nivel de atención. Pero la predicación no es para entretener o para estar haciendo chistes. Se me hace difícil

concebir en mi mente a un Dios humorista. De igual manera el que predica representa a Dios y lo debe hacer bien.

El carácter y contenido de una predicación no debe ser enfangado por las bromas o jocosidad del predicador. Los que buscan hacer reír mucho a su audiencia, pocas veces obtienen buenos resultados espirituales. Por cierto la mayoría de éstos emplean el humorismo como relleno a su falta de preparación homilética y espiritual.

6. Evite estar mal presentado.
Los predicadores deben vestir bien. El estar frente a un público muy a menudo exige que estén bien presentados. La falta de aseo personal o el vestir descuidadamente influye en la comunicación. Todo predicador debe saber combinar sus ropas y vestir decorosamente, pero a la moda. Muchos líderes religiosos por no salir de la ropa en desuso, visten con muchos años atrasados a la moda actual. Esto los ubica fuera de tiempo.

7. Evite el estar corriendo de un lugar a otro de la plataforma.
En muchas congregaciones cristianas al predicador que haga esto no lo invitan jamás. Pero en otras, es cosa corriente ver a esta clase de predicadores. Si tiene un púlpito úselo y predique desde el mismo. Esto no quiere decir que se debe enclavar detrás del mismo, muévase si es necesario para dar énfasis o ilustrar algo. Pero aprenda a pararse delante de los oyentes para decir lo que tiene que decir. Hay predicadores que son "péndulos homiléticos". Marean a uno de tantas vueltas que dan.

8. Evite el estar predicando a las paredes de la plataforma o a los ministros que están en la misma.
Cuántos predicadores le dan la espalda a los oyentes y se tornan a dialogar con alguna pared. Otros se pasan el período de la predicación buscando la afirmación de sus colegas de ministerio que la acompañan en la plataforma.

9. Evite el hablar mucho mientras está sentado en la plataforma.

Un mal hábito que tenemos los ministros es el de hablar en la plataforma. No olvidemos que delante de nosotros tenemos una audiencia que nos observa y evalúa. Lo más irónico es que luego cuando comenzamos a predicar, lo primero que hacemos es exhortar a los oyentes que no queremos a nadie hablando, cuando los más que hablamos somos nosotros.

10. Evite llegar tarde cuando le ha sido asignada la predicación.

El predicador debe ser uno de los primeros en llegar al templo. Así tendrá tiempo para orar más. También podrá participar durante el culto de celebración al Señor. Los que llegan a último momento causan una mala impresión a la audiencia. Los predicadores tenemos que adorar junto con la Iglesia, al Señor.

11. Evite el estar excusándose por su negligencia.

Si no se preparó para predicar, y es algo que le ocurre muy a menudo, retírese de la predicación y deje que los que son llamados prediquen. Las excusas deben ser desalojadas del púlpito. Es mejor no predicar que estar pidiendo clemencia ante una audiencia por la falta de tiempo para prepararse o porque el predicador fue tomado de sorpresa a última hora.

12. Evite el estar predicando un legalismo tradicional y predique la libertad de la gracia en Cristo Jesús.

En muchos púlpitos se predica más al diablo, el infierno y la ley, que a Cristo, el cielo y la gracia. El predicador sádico es muy popular entre las congregaciones masoquistas. El primero recibe estímulo golpeando con la predicación y los otros se estimulan siendo apedreados con el sermón. Pero el evangelio de Jesucristo es por gracia y para gracia. La ley fue un ayo hasta que vino la gracia. Los cruzados de un nuevo legalismo son enemigos de la gracia de Jesucristo. A veces me apena el oír a tantos predicadores que están viendo fantasmas en el mar, cuando al que deben ver es al Señor Jesucristo. Ellos han emprendido una misión contrarreforma a la renovación del Espíritu Santo sobre la Iglesia.

13. Evite la falta de ética ministerial. Si usted no está de acuerdo con lo que otro colega en el ministerio enseña y predica, no se vuelva un gladiador de la plataforma desacreditándolo y atacándolo. El Señor no nos ha llamado a desunir, dividir o fragmentar el cuerpo místico que lo representa, la Iglesia, sino a unirla. El buscar faltas en nuestros colegas de ministerios para luego exhibirlas públicamente por medio de la predicación, es falta de ética ministerial. Es una actitud de cobardía, que sólo los ministros o predicadores de pantalones cortos se atreverían a manifestar.

Dentro de la ética ministerial está el saber guardar secretos que le han sido confiados al ministro o predicador. La mayoría de los evangelistas o de los que dirigen avivamientos, son pobres consejeros. ¿Por qué digo esto? La razón es que andan siempre a la caza de experiencias, que luego las usan como rellenos a sus predicaciones. Esto demuestra su falta de madurez y de que son víctimas del sensacionalismo.

El predicador debe evitar el estar divulgando secretos o situaciones ajenas. Las más de las veces estos predicadores son muy solicitados. A un gran número de oyentes cristianos les gusta el chisme sofisticado.

La falta de ética ministerial se descubre en la psicología que emplean muchos predicadores para que se llenen los platos de las ofrendas. El engaño, tenga la pintura que tenga, es algo repugnante a la moral humana y detestable a la persona de Dios.

El predicador no debe incurrir en deudas financieras. Debe vivir al alcance de sus entradas. Nunca un predicador debe tomar dinero prestado de algún oyente o miembro de la congregación a la cual asiste o ministra. El que no paga, es siempre visto con sospechas. En Romanos 13:7-8 leemos: *"Pagad a todos lo que debéis*: al que tributo, tributo; al que respeto, respeto; al que honra, honra. *No debáis a nadie nada,* sino el amaros unos a otros; porque el que ama al prójimo, ha cumplido la ley". La expresión "pagad a todos lo que debéis", lea en el griego: "apodote pasin tasopheilas". Literalmente, "pagad a todos las deudas".

Las tres áreas dónde el predicador necesita cuidarse son: Primero, en lo financiero como ya hemos mencionado. Este no debe abusar del crédito. Tampoco debe usar la bondad de otros para buscar un lucro financiero. No debe emplear el ministerio para hacerse de dinero. Aunque es de esperarse que una congregación y un pastor consciente y espiritual le ayudarán a cubrir sus gastos.

Segundo, en las tentaciones sexuales. Los predicadores son muy admirados por las mujeres. Estos representan para las mujeres el hombre ideal. Tanto los pastores como los evangelistas necesitan estar apercibidos de esta realidad. Muchas mujeres tienen fantasías sexuales con los pastores y evangelistas. Por eso los siervos de Dios se tienen que cuidar mucho. Es recomendable que anden las más de las veces acompañados de sus esposas. No nos olvidemos que por una mujer José fue falsamente acusado y puesto en la prisión (Génesis 39). Flavio Josefo en su libro II, Antigüedades de los Judíos nos dice: "Cuando la esposa de su amo se enamoró de él, por la belleza de su cuerpo y su habilidad para manejar las cosas, la mujer pensó que con sólo decírselo lo haría acostarse con ella, considerando una gran dicha el que su ama quisiera divertirse con él. (Ella pensaba en su condición de esclavo, y no en su moralidad, que siguió siendo la misma después de su cambio de condición.) Le comunicó, por lo tanto, sus inclinaciones y lo invitó a satisfacerlas" (capítulo IV, 2).

Sansón es otro ejemplo de un siervo de Dios que fue derrotado por una mujer (Jueces 16). Flavio Josefo la describe de esta manera: "Se enamoró de una mujer que era una prostituta filistea" (Antigüedades de los Judíos, libro V, capítulo VIII, 11).

Pensemos en otro personaje bíblico, David, que ante la tentación de una mujer casada llamada Betsabé cayó víctima de sus apetitos sexuales (2 Samuel 11). Josefo dice de ella: "Era de extraordinaria belleza, superior a la de todas las mujeres. Se llamaba Betsabé" (Libro VII, capítulo VII, 1).

Tercero, el predicador se cuidará del orgullo. La trampa del orgullo puesta por Satanás, ha hecho resbalar a muchos predicadores. El renombre y la fama los ha llevado a descuidar la construcción espiritual de su propio edificio. El proyectar su imagen ha sido su máxima preocupación, en vez de presentar y revelar al único que le pertenece toda la gloria y honra, es decir, Jesucristo. El predicador no puede permitir que las adulaciones y reconocimientos que otros expresen de él o ella, impidan a los demás ver a Cristo en su vida.

14. Evite la mediocridad ministerial.

Dé el máximo en su ministerio y no el mínimo. Usted trabaja bajo las órdenes de Dios, por lo tanto para El hará, dirá y dará lo mejor. El día que no pueda ofrecer un ministerio excelente, que agrade al Señor, lo mejor sería un retiro voluntario. Hoy día muchos creyentes sufren por los ministerios mediocres, raquíticos y sin visión espiritual que son piedras de tropiezo, en lugar de ser joyas preciosas. La Iglesia de Jesucristo no necesita de malos ministros, sean éstos pastores, evangelistas, misioneros, maestros o predicadores. Sin ellos, la Iglesia lo haría mucho mejor. Necesitamos de ministerios excelentes, completos, ejemplares y de calidad.

15. Evite muchas posiciones que son incorrectas para el predicador.

El homileta Don Samuel Vila en particular hace referencia a doce posiciones incorrectas:

(1) Leer el sermón en la palma de la mano.

(2) Restregarse la nariz con el dedo.

(3) Amenazar a los oyentes con los puños.

(4) Sacar las ideas con el dedo, del cuello de la camisa.

(5) Estremecer al auditorio con ensordecedores gritos y toser ruidosamente al final de cada párrafo.

(6) Marear a los oyentes balanceando el cuerpo en forma de péndulo de un lado a otro.

(7) Abalanzarse sobre el auditorio inclinando el cuerpo hacia adelante.

(8) Buscar ideas rascándose la oreja.

(9) Apoyar la cabeza sobre el brazo.

(10) Romper la Biblia a puñetazos para aumentar el énfasis.

(11) Meter una mano en el bolsillo y calmar los nervios moviendo las llaves o cualquier otro objeto.

(12) Colocar los brazos en "jarra".[15] (Para una gráfica de estas posiciones consúltese el libro del referido autor.)

A estas posiciones yo le añadiría:

(1) Estar dando saltos en la plataforma.

(2) Correr de un lado a otro mientras se predica.

(3) Acercarse demasiado al micrófono.

(4) Jugar con los anteojos o espejuelos.

(5) Estar bajando y subiendo de la plataforma.

(6) Mostrarse desafiante ante la audiencia.

(7) Hablar demasiado bajo.

(8) Tener mucho la cabeza baja.

(9) Hablarle a las paredes.

(10) Darle mucho la espalda a la audiencia mientras está predicando.

(11) Darse mucho masaje en el pelo.

(12) Si es hombre emplear manerismos afeminados o si es mujer mostrarse masculinizada.

(13) Mirar por encima de las cabezas de los oyentes.

(14) Mirar mucho hacia el techo.

(15) Cruzarse de brazos.

(16) Concentrar la vista demasiado en una sola persona.

(17) Hacer muchas muecas con el rostro.

(18) Jugar con el bigote.

(19) Dar patadas en el piso.

(20) Dirigirse mucho a otro que está sentado en la plataforma.

(21) Sentarse en la plataforma.

(22) Cerrar por mucho tiempo los ojos.

(23) Bajarse o encorvarse mucho.

(24) Frotarse las manos.

(25) Mirarse los zapatos.

(26) Actuar como un llorón.

(27) Mostrarse demasiado sonriente.

(28) Mover demasiado los brazos como si fuera un "boxeador" o un "luchador".

(29) Pararse como una "momia" o un "maniquí".

(30) Señalar abusivamente a los oyentes con los dedos.

BOSQUEJO

Introducción:
Un plan es muy importante, pero requiere varios mecanismos de comunicación para ser efectivo.

I. Los métodos:

1. *Memorizando el discurso.* En siglos pasados muchos se hicieron expertos memorizando el discurso.
   Este método confronta varios obstáculos: Primero, el predicador debe gozar de una excelente memoria. Segundo, el predicador puede caer víctima de algún factor personal o fuera de sí, que le haga perder su memoria momentáneamente. Tercero, los oyentes no reciben con buen agrado la recitación de su sermón.

2. *Leyendo el sermón.* Este método ofrece varias ventajas: Primero, el predicador puede hablar con pensamientos y palabras elaboradas. Segundo, no tiene lugar para ambigüedades. Las desventajas de este método son: Primero, el predicador se vuelve autómata. Segundo, el que lo emplea debe saber leer bien y con rapidez. Tercero, el contacto visual es pobre. Spurgeon dijo: "La primera vez que escuché un sermón leído, me supo a papel y se quedó atorado".
   Este sermón es recomendable para la radio. El

predicador radial necesita saber lo que dice y en cuánto tiempo lo dirá.

3. *Extemporáneamente.* Los predicadores extemporáneos son los favoritos. La predicación extemporánea puede ser sin notas escritas. Hay dos clases de predicadores extemporáneos: Primero, el que predica como ya dijimos sin notas escritas, aunque tiene en su mente un bosquejo simple. Segundo, el que predica extemporáneamente con notas. Todo predicador debe tener el hábito de emplear notas aunque no dependa de ellas. Un buen sermón se debe repetir cuantas veces sea necesario.

4. *Improvisadamente.* Esta es la predicación que nace en el momento, donde el predicador no se ha preparado debidamente para la ocasión. Costas dice: "Se corre el peligro de una preparación mental y espiritual inadecuada, se prestan para mucha repetición, la verborragia, y una sobredependencia de los sentimientos del momento" (Comunicación por medio de la predicación", Editorial Caribe, p. 169). Los predicadores deben cuidarse de no caer en el mal hábito de predicar improvisadamente.

II. La manera:

En la exposición hay que poner en práctica varios principios de la comunicación oral. Yo le llamo las ruedas de la homilética.

1. *Sea claro.* La tarea del predicador es simplificar y aclarar todo concepto para que los oyentes lo puedan entender.

2. *Sea directo.* El oyente tiene que tener la impresión de que el predicador se dirige a él, aunque haya cientos de personas. La predicación no es hablar "de" la

Iglesia. "es" hablar a la Iglesia. Debe ser directo, pero no demasiado.

3. *Sea convincente.* Esa credibilidad se la da la Biblia, el Espíritu Santo y la propia vida o conducta del predicador. El debe cuidarse de tener "la voz de Jacob" y "las manos de Esaú" (Génesis 27:22). Debe cuidarse de no ministrar para el Señor sin el Señor.

4. *Sea dinámico.* Se decía de Billy Sunday que era "un sermón encarnado". Los predicadores quietos parecen "momias homiléticas" y no mueven a las multitudes.
   La Palabra de Dios es viva, por lo tanto el que la predica debe estar saturado de esa vida.
   Muchos predicadores son demasiado enérgicos en la predicación. La mucha acción de parte del predicador puede llegar a cansar a una audiencia. Una cosa es "unción" y otra es "emoción". La unción no está ni en los gritos, ni en las corridas, ni en los golpes en la plataforma.

5. *Sea natural.* Ese tono clerical que muchos asumen para predicar es falso y fastidioso. La imitación nunca se aprecia tanto como la originalidad.

6. *Sea motivador.* La Palabra de Dios entre sus efectos produce motivación. Motivar es contagiar a otros a tomar una decisión.

7. *Sea un arquitecto con las palabras.* El doctor Cecilio Arrastía y el doctor José A. Caraballo son la clase de predicadores que ante los oyentes, mediante el empleo de palabras pueden dibujar imágenes mentales.

8. *Sea imaginativo.* Las historias bíblicas en la imaginación del predicador se hacen vivas. En cada historia bíblica debe tomar parte, observando a sus personajes e identificándose con la época.

9. *Sea ejemplo.* No prediquemos a otros lo que no nos aplicamos. Muchos predicadores son signos de interrogación. Seamos transparentes del dicho al hecho.

10. *Sea entusiasta.* El predicador verá alegría donde hay tristeza, poder donde hay debilidad y fe donde hay dudas.

11. *Sea humilde.* Es mejor subir a una plataforma como "Don Nadie" y bajar como "Don Alguien", que subir como "Don Alguien" y bajar como "Don Nadie".

12. *Sea amigable.* La grandeza de los hombres y mujeres de Dios se revela en el servicio que dan a la Iglesia de Jesucristo. El predicador debe ser amigo de la congregación.

13. *Sea realista.* ¿Es la meta de la predicación impresionar o transformar? El fabricar experiencias para apelar al sensacionalismo, es una violación a la ética de la predicación.

14. *Sea visionario.* Nuestro pueblo quiere marchar, venciendo el obstáculo del Mar Rojo y el largo desierto, pero se necesita a un moderno Moisés que nos describa lo que es la tierra prometida con su figura de "leche y miel".

15. *Sea templado.* La predicación más que emoción del que predica necesita contenido. El predicador tiene que aprender a tomar control de cualquier situación. Nada ni nadie lo debe desviar de su propósito.

16. *Sea espiritual.* El predicador ante una congregación, tiene que ser auténtico, verdadero, genuino y transparente. Detrás de "La entrega del sermón" de toda buena predicación se asoma una vida de espiritualidad.

III. Lo que se debe evitar:

De tiempo en tiempo los predicadores caemos en malos hábitos homiléticos.

1. Evite repetir los mismos pensamientos. Hay predicadores que·sólo saben predicar un solo sermón.

2. Evite tomar el nombre de Dios, de Jesucristo o del Espíritu Santo en vano. A Dios no se le puede usar como un "salvavidas homilético".

3. Evite hacer promesas a nombre del Señor si éste no le ha dado revelación a su espíritu.

4. Evite la vulgaridad al hablar. El predicador debe ser la persona que mejor se exprese en la comunidad de los santos.

5. Evite el humorismo extremado. El carácter y contenido de una predicación no debe ser enfangado por las bromas o jocosidad del predicador.

6. Evite el estar mal presentado. Los predicadores deben vestir bien.

7. Evite el estar corriendo de un lugar a otro en la plataforma.

8. Evite el estar predicando a la pared o a los ministros de la plataforma, dándole la espalda a la audiencia.

9. Evite hablar mucho mientras está sentado en la plataforma.

10. Evite llegar tarde cuando le ha sido asignada la predicación.

11. Evite el estar excusándose por su negligencia.

12. Evite el estar predicando un legalismo tradicional y predique la libertad de la gracia en Cristo Jesús.

13. Evite la falta de ética ministerial. No sea un gladiador en la plataforma atacando y desacreditando a otros. Aprenda a guardar secretos. No incurra en deudas financieras. No use psicología religiosa para que se llenen los gasofilacios.

14. Evite la mediocridad ministerial. Usted trabaja bajo las órdenes de Dios, por lo tanto para El hará, dirá y dará lo mejor.

15. Evite muchas posiciones físicas que son incorrectas para el predicador.

Conclusión: La preparación del sermón es 50% de la tarea de la predicación, la entrega completa el otro 50%. Por lo tanto, el predicador debe saber cómo entregar el sermón.

Notas bibliográficas

1. Comunicación Por medio de la predicación. Editorial Caribe, pp. 169-170.

2. Ibid., p. 169.

3. Tratado sobre la predicación. Casa Bautista De Publicaciones, p. 213.

4. Ibid., pp. 222-223.

5. Ibid., p. 236.

6. How To Develop Self-Confidence and Influence People By Public Speaking. Pocket Books: New York, p. 92.

7. Broadus, ob. cit., p. 235.

8. R. W. Schambach. When You Wonder Why. Schambach Revivals, Inc.Tyler, Texas, p. 29.

9. Broadus, ob. cit., p. 224.

10. A.W. Blackwood. La preparación de sermones bíblicos. Casa Bautista De Publicaciones, pp. 224-225.

11. Ibid., pp. 226-232.

12. Ibid., p. 232.

13. Dale Carnagie, ob. cit., p. 92.

14. Ibid., pp. 99-107.

15. Samuel Vila. Manual de homilética. Editorial CLIE, pp. 196-197.

6

Las técnicas para comunicar con éxito

En el presente capítulo deseo analizar y explicar algunas técnicas de comunicaciones. Recuerdo en una ocasión mientras formaba parte de una junta de directores, que uno de nuestros colegas trató de que aceptáramos una moción que presentó. La misma fue rechazada por unanimidad sin mucha discusión. En esa misma reunión, con minutos de diferencia, otro miembro de la junta pidió la palabra, presentó la misma idea y por unanimidad fue aprobada. ¿Qué produjo el cambio de opinión en dicha junta? La diferencia entre mis dos colegas fue que el primero no supo comunicar dicha idea con efectividad. No nos convenció. Nos despertó dudas. No vimos la importancia de llevar a cabo dicho proyecto. El segundo fue diferente, se mostró muy entusiasta. Nos demostró la necesidad de dicho proyecto. Nos hizo creer que el mismo funcionaría. Nos presentó los beneficios que tendríamos si lo lleváramos a la realización. Yo fui el primero en quedar convencido.

Por muchos años fui agente de seguros de la prestigiosa compañía John Hancock Mutual Life Insurance. Mi salario estaba basado en las comisiones que recibía de la venta de seguros. Yo determinaba cuánto ganaba. El factor tiempo no era lo determinante de mi salario. ¿Sabe qué era lo determinante? La manera en que yo pudiera comunicar a las personas la necesidad y las ventajas de tener los beneficios de un seguro de vida. Antes de vender el producto tenía que vender la idea. Esa idea se filtraba a través de mi personalidad. El orden de prioridades que se nos enseñaba era: Primero, el cliente. Segundo, el agente. Tercero, la compañía. Los agentes en la práctica invierten esto: Primero, el agente. Segundo, la compañía. Tercero, el cliente. El asunto era que el cliente tenía que sentir que él o ella eran primero que el agente.

Los buenos comunicadores son aquellos que venden la idea antes que el proyecto. Descubren una necesidad y procuran llenarla como nos enseña el doctor Robert Schuller. Antes de "parir" la idea se embarazan de ella primero. Quien no cree algo no podrá convencer a otros para que lo crean. Recuerdo que como agente de seguros una de las primeras preguntas que una persona me hacía era: ¿Tiene usted seguro con esta compañía? Otra pregunta que se me hacía a menudo era: Si usted estuviera en mi lugar, ¿qué seguro de los que ofrece la compañía adquiriría?.

En este capítulo, la meta que persigo es tratar de la comunicación en general y no solamente desde el punto de vista "kerygmático". Las relaciones humanas giran en torno a las comunicaciones. Deténgase un momento, mire en derredor suyo, a su familia, los compañeros de trabajo, la televisión, el diario, la congregación a la cual asiste... El más alto porcentaje de nuestra vida está ocupado por las comunicaciones. Esto nos indica cuán importante es saber cómo, dónde y cuándo comunicar. A continuación estaré presentando algunas sugerencias que ayudarán a los comunicadores a hacerlo con éxito:

El comunicador debe ser original. La originalidad se manifestará tanto en su voz como en su estilo. En todo el mundo no hay una persona exactamente igual a usted o a mí. Dios nos ha hecho muy singulares. Es en esa diferencia que tenemos la ventaja de comunicar como nadie más podría comunicar. No pretendamos ser otros. No imitemos a otros. No seamos copias humanas de otros. Seamos nosotros.

El comunicador debe revelar confianza al hablar. El orador mostrará calma, confianza y seguridad cuando habla. El nerviosismo y el titubeo es algo que se detecta fácilmente. Un vendedor nervioso y titubeante entrará a muchos lugares con su producto y saldrá con el mismo.

El comunicador debe tener confianza en Dios, en sí mismo, en el que le escucha, en que domina su tema, en que podrá comunicar, en que será escuchado, en que otros apreciarán lo que dirá, en que hará lo mejor que pueda.

El comunicador debe estar bien preparado para hablar. Debe haber estudiado bien su tema y tener sus notas bien organizadas. El pararse a hablar frente a un auditorio sin preparación es una falta de respeto al mismo. Esto es algo que no se puede disimular a una audiencia.

El comunicador debe dejarse ver por los oyentes. Muchos oradores piensan que no deben subir a la plataforma sino hasta el momento de hablar, ya que de esta manera piensan que crearán un clímax de expectación entre la audiencia. No creo que esto sea apropiado. La presencia del orador frente a la audiencia ayudará a calmar toda tensión y curiosidad.

El comunicador debe preparar bien sus notas antes de hablar. Esto incluye ajustar el soporte del micrófono. No se debe poner a repasar sus notas delante de los oyentes. Ya que al hacer esto, le dará la sospecha a la audiencia de que éste no está bien preparado o se siente intimidado. Cuando llegue al púlpito debe tener sus notas ya preparadas.

El comunicador debe mirar a sus oyentes. Esta es un área donde los oradores tímidos tienen que trabajar y superarse. La vista en la comunicación es de vital importancia. Una mirada muchas veces comunica más que muchas palabras. El contacto visual hace la comunicación más personal.

El comunicador debe comenzar a hablar sin referirse a las notas. Esto producirá un diálogo amistoso e íntimo entre orador y oyente. Además ayudará a ambos a relajar la tensión que produce los primeros minutos entre orador y audiencia. La introducción y la conclusión en un discurso o sermón es algo que un orador no debe leer.

El comunicador debe hablar a sus oyentes. El orador debe dar la impresión de ser espontáneo. Es decir, mover a los oyentes. La única manera es hablando con ellos. Ellos tienen que estar en diálogo con el orador. Así se producirá un intercambio intelectual, emotivo, afectivo y espiritual. Muchas veces he escuchado a oradores que me han dejado con la impresión de que me estaban hablando a mí. ¿Ha tenido usted esa experiencia?

El comunicador debe recurrir ocasionalmente a sus notas. Las notas se deben usar cuando se necesitan. Muchos oradores desarrollan el mal hábito de depender demasiado de sus notas. Hasta pensamientos sencillos y simples los tienen que leer. El mirar ocasionalmente las notas le ofrece cierto grado de autoridad al orador. Se debe cultivar la habilidad de mirarlas y luego decirlas mirando a los oyentes. Pero no decirlas mientras está leyendo.

El comunicador debe evitar cortar sus pensamientos. Debe evitar toda clase de muletillas al estar hablando. También hay malos hábitos que deben ser corregidos cuando se está comunicando. Las "muletillas" son empleadas por los comunicadores para buscar ideas. El estar carraspeando la garganta es algo que desagrada a los oyentes.

El comunicador debe mantener una postura apropiada. Un orador parado derecho y con su cabeza erguida representa autoridad. El estar recostándose en el púlpito o el atril demuestra cansancio, debilidad o falta de entusiasmo. Lo irónico es que muchas de las posturas de los oradores se transmiten a los oyentes. ¿Se ha dado usted cuenta de que cuando una persona bosteza, otros también se contagian?

El comunicador debe ser natural en los gestos. A través de los gestos se comunica. En el diccionario se define gesto como: "expresión del rostro según los afectos del ánimo". Una persona muy seria tendrá una audiencia seria. Una persona que sonríe tendrá oyentes sonrientes. Nuestros gestos se contagian. Un buen comunicador sabe cómo influenciar sobre otros por medio de los gestos. Los buenos vendedores son aquellos que saben sonreír.

El comunicador debe superar su nerviosismo. El nerviosismo se supera descubriéndolo. El orador debe responder a estas tres preguntas sobre el nerviosismo: ¿Por qué estoy nervioso? ¿Cómo puedo dejar de estar nervioso? ¿Qué necesito hacer ahora mismo para tener la victoria sobre el nerviosismo? Ante un auditorio se debe mostrar una actitud positiva y actuar como si no estuviera nervioso. Si es la audiencia la que lo pone nervioso debe mirarla bien. Si es otro orador que está en la audiencia o en la plataforma, lo debe mirar bien y decirse para sus adentros: "Tu presencia no me intimida. No tengo que ponerme nervioso porque estás aquí".

El comunicador debe dar la impresión de que se está gozando cuando habla. En el área de Nueva York, la doctora Leo Rosado Rosseau es muy popular como predicadora. La conozco personalmente. Lo que siempre me ha llamado la atención de ella como comunicadora, es que cuando habla se goza en lo que está diciendo. Las audiencias son como radares, detectan cuando el orador experimenta lo que está diciendo.

El comunicador debe saber disimular sus errores. Si comete un error continúe con naturalidad y corríjalo tan pronto tenga la oportunidad. El exponer y revelar un error le puede afectar su discurso. Muchos de los oyentes no se dan cuenta de los errores de los oradores. Por uno o dos oyentes no se debe arruinar un discurso. Al declarársele el error, ellos se El comunicador debe emplear las ayudas visuales efectivamente. Las ayudas visuales deben estar bien organizadas. Nunca se le debe dar la espalda a una audiencia mientras se están explicando las gráficas, láminas o diapositivas. No se deben usar las manos para señalar algo, lo correcto es emplear los punteros. No se debe hablar a las láminas sino a los oyentes.

El comunicador debe hablar con volumen. El que está sentado en el último asiento desea escuchar al orador así como el que está en el primer asiento. Desde luego con esto no quiero decir que se aumente el volumen del amplificador al extremo de afectar el oído de muchos oyentes.

El comunicador cuando termina de hablar debe abandonar la plataforma con confianza. Muchos arruinan su discurso o sermón metiéndole la daga de las excusas por la espalda. Hay que regresar al asiento con entusiasmo. No se preocupe por lo que dijo que no quería decir, o por lo que no dijo que quería decir. Los oradores con experiencia siempre al final de los discursos tenemos la sensación de no haber dicho lo que queríamos, en la manera como queríamos y cuando queríamos. Pero la experiencia nos ha enseñado a superar esta laguna. Antes de decir algo que pueda afectar su discurso, mejor cállese la boca y tendrá más éxito.

No se aleje del púlpito o podio muy rápido. El orador debe recoger sus notas y regresar a su asiento como llegó. Cuando llegue al asiento no se ponga a hablar con nadie, ni a darle las manos a nadie. Si se adelantan a felicitarlo y a darle las manos responda amablemente.

Una vez que llegue a su lugar, si es un predicador se puede arrodillar y dar gracias al Señor por haberle usado. Yo acostumbro sentarme y bajar la cabeza y así le expreso al Señor Jesucristo mi más profundo agradecimiento por haberme bendecido en la predicación. Al hacerlo de esta manera presento una imagen no tradicional de reverencia al Creador, donde la audiencia tiene la oportunidad de observar mi rostro en esta postura.

El comunicador debe estar consciente de aquellas áreas en su vida que necesitan ser mejoradas. Debemos admitir a otros lo que sabemos y lo que no sabemos. Esto no significa que nos estaremos rebajando o restándonos a nosotros mismos. Pero sí significa que no exageraremos, ni aumentaremos a muchas cosas de nosotros, con el propósito de impresionar a los demás.

El comunicador no debe estar siempre repitiendo lo mismo. Las introducción y las conclusiones no pueden ser estereotipadas. Las personas y grupos son diferentes. La ilustración que tuvo éxito con alguien, quizás no lo tenga con otro.

El comunicador debe observar a sus oyentes. Muchas veces alguno de los oyentes se distrae por algo. La hora los puede preocupar. El que alguien mueva la cabeza no es señal de que está de acuerdo con el comunicador. La meta del comunicador no es simplemente ser oído sino ser escuchado. Para ser escuchado necesita tomar y mantener la atención del oyente.

El comunicador debe ser paciente. Cuando comunicamos no debemos molestarnos si el oyente no capta a nuestra misma velocidad. Todo buen comunicador procura adaptar su velocidad al paso de retención de los demás.

El comunicador debe mostrar consideración hacia los oyentes. El tomar más del tiempo debido es una falta de consideración a los oyentes. El estar regañando y criticando a los oyentes es algo que enfada y se debe evitar.

El comunicador debe ser claro en sus ideas. Cuando alguien entiende lo que decimos hay comunicación. La mala interpretación viene como resultado de una pobre comunicación.

El comunicador busca ser entendido. De lo contrario se dirá lo que él o ella nunca dijeron.

El comunicador debe emplear un vocabulario fácil de ser comprendido. Hay que comunicar dentro del contexto cultural, académico, religioso, profesional y social de nuestros oyentes. Las palabras bien escogidas son ruedas que transportan una buena comunicación. No es lo que decimos, sino cómo lo decimos.

El comunicador debe ser agradecido. Haga a otros sentirse bien y verá cómo se los gana. Una cosa tan simple como el dar gracias, aceita la comunicación. A todos nos gusta tratar con personas agradecidas. Si usted todavía no ha tratado la técnica de dar gracias, le aconsejo que la comience a emplear. En pocos días verá cuán popular se hará. Las gracias se pueden expresar verbalmente, por escrito, por medio de un regalo y por medio de algún reconocimiento. Aprenda a dar gracias y será apreciado por los demás.

El comunicador debe controlar su temperamento. Cuando nos alteramos, otros responderán a nosotros alterados. El estar gritando para ser oídos es falta de madurez. Muchos discursos se han arruinado por el temperamento del que comunica.

El comunicador debe ser persuasivo. La persuasión es la llave para que alguien pueda hacer las cosas bien y en el tiempo requerido. El que es persuadido se siente comprometido consigo mismo a hacer algo en una base voluntaria.

El comunicador debe tener cuidado con hablar en broma. Muchas personas toman todo literal. No sugiera en bromas cosas que otros pudieran creerlas. Si dice algo que no es en serio, aclárelo.

El comunicador debe estar seguro de los hechos. Cuando diga algo que no pueda documentar, le podría acarrear problemas y dificultades. La buena documentación refuerza la comunicación. Si no está seguro de algo, por favor no lo diga.

El comunicador debe aprender a mostrarse interesado en lo que otros dicen. En casi todas las juntas siempre encontramos a uno de esos que parecen "motores apagados". No motivan a los demás. Se muestran muy desinteresados. ¿Ha tenido usted la experiencia de estar diciendo algo a otra persona y súbitamente sin dejarla terminar la interrumpe para hablar de otra cosa? A esa persona no le interesaba lo que usted decía. De seguro usted tampoco se interesará en lo que esa persona quiera decirle.

El comunicador no debe exagerar. El hablar hiperbólicamente para llamar la atención de los oyentes es para mí algo impropio. El inflar cifras o hacer las experiencias más sensacionales se debe evitar. Un buen comunicador con la verdad siempre llegará al corazón de sus oyentes.

El comunicador debe evitar hablar con estereotipos o generalizaciones. El estar ofendiendo a un grupo produce tensión y rechazo. Por otro lado el estar encomiando es algo que despierta sospechas hacia el comunicador. Por una persona no se puede culpar a todo un grupo haciendo una generalización. Hay que evitar hablar despectivamente de ciertos grupos étnicos.

El comunicador debe pensar antes de hablar. Muchos hablan y después piensan en lo que hablaron. Un famoso predicador norteamericano dijo que si para cierta fecha no recibía tal cantidad de dinero el Señor se lo llevaría. Sus palabras fueron tomadas muy literalmente, aunque no negamos que esa haya sido la intención de dicho ministro. Pronto fue blanco de enconados ataques y críticas de parte de los medios de comunicación. Lógicamente, cuando llegó la fecha de esa supuesta revelación, la fantástica cantidad ya había sido levantada. El propósito para el cual estos fondos se levantaron es algo digno de ser encomiado, pero el procedimiento fue muy presuncioso. Sobre la presunción léase Deuteronomio 18:19-22.

El comunicador debe aprender a escuchar a los demás. Cuando se rechaza lo que otros dicen, la comunicación se apaga. Deje a otros hablar y expresarse. La gente tiene derecho a ser oída. Aprenda también a escuchar. Dios nos dio una sola boca, pero dos oídos. ¿Sabe por qué? Porque debemos escuchar más de lo que hablamos.

El comunicador debe respetar las decisiones de otros. La gente tiene derecho a tomar decisiones. No obligue técnicamente a nadie a decirle que sí. Deje que esa persona exprese su sentir personal. Yo conozco a varios líderes que empujan demasiado. Trato de mantenerme los más alejado posible de ellos. A largo plazo los demás se cansan.

El comunicador debe ser preciso y llegar adonde quiere. No tome más del tiempo necesario para explicar o decir algo. Los oyentes se cansan de esta clase de comunicadores. Ellos por lo general comienzan con un buen grupo y terminan casi sin gente. En reuniones no se puede controlar toda la conversación. Otros necesitan reaccionar, opinar y expresarse.

El comunicador debe aceptarse tal y como Dios lo hizo. Déjese de estar criticándose. El tener una pobre opinión de uno mismo desayuda en vez de ayudar. No esté mostrando sus faltas a los demás para que sientan pena.

El comunicador debe aprender a perder. Cuando esté en una reunión y su moción o resolución sea derrotada, no salga disgustado. Cuando no se sabe perder limpiamente, otros comenzarán a marginarnos y pronto nos sentiremos excluidos aunque físicamente estemos junto a ellos.

El comunicador debe observar las reacciones de los demás. Un comunicador siempre está estudiando y psicoanalizando a sus oyentes. La conversación o comunicación debe situarse dentro de las reacciones del oyente. Recuerde: no todos los seres humanos reaccionamos iguales ante una misma cosa. Por la reacción de una persona podemos tener una idea de lo que quiere, piensa, hace, siente o desea, si está interesado o no.

El comunicador debe procurar que se le entienda. Cuando algo es de suma importancia lo debe repetir varias veces, explicándolo y aclarándolo. Hasta donde le sea posible debe arrojar luz mediante ilustraciones a muchos puntos que pueden ser oscuros.

El comunicador debe mostrar atención a su interlocutor. El distraerse mientras otro le habla a uno, no sólo es falta de respeto, sino falta de consideración. Cuando una persona se siente ignorada por otro, el deseo de hablar se le quita. A la gente hay que dejarle ver que son importantes. Ellos son personas y no cosas.

El comunicador debe ser sensitivo. No esperemos que las personas hagan inmediatamente lo que les pedimos. Muchos, aunque deseen hacerlo, se demoran debido a problemas circunstanciales, muchas veces fuera de su radio de acción. El ser sensitivo es ponernos en el lugar de los demás, es empatizar. Muchas veces somos egoístas transitando por nuestra propia autopista. El preocuparnos por otros abre la puerta hacia la comunicación.

El comunicador debe aprender a no reaccionar negativamente al rechazo. Muchos comunicadores no aceptan el que sus oyentes no estén de acuerdo con ellos. Desean que lo que dicen sea aceptado de buena gana. Esto es incorrecto. La opinión de la gente no se puede encadenar con nuestros criterios.

El comunicador debe saber cuándo hablar con un tono negativo. No haga volcar pensamientos negativos sobre el oyente hasta que el tiempo no sea propicio. El negativismo se contagia. Háblele negativamente a alguien y tendrá un oyente negativo. Sepa cuándo y cómo decir algo que no le gustará a una persona, pero que es necesario que usted se lo diga. Por ejemplo si un ministro tiene que exhortar fuertemente a la congregación, no lo debe hacer durante el culto de adoración, sino durante el tiempo posterior a la escuela dominical o en una reunión particular.

El comunicador debe evitar el estar mencionando sus problemas. La mayoría de las personas están cargadas de problemas. Cuando uno se la pasa hablando de los problemas personales frente a otros, esto los molesta. Las más de las veces los problemas de ellos pueden ser mayores que los nuestros.

El comunicador debe ser flexible en lo que dice. Debemos estar dispuestos a hacer cambios necesarios si nos damos cuenta de que en la comunicación no estamos alcanzando ningún resultado. Los agentes de seguros de vida cuando le están ofreciendo una póliza de seguro a un cliente, son flexibles. Después que han evaluado el estado financiero de una familia, le presentan un plan que pueda responder a sus necesidades y a un costo que ellos podrían pagar por dichos beneficios. Pero si el cliente encuentra que la póliza está muy cara, el agente procede a ajustar un plan que se acomode a lo que el cliente pueda pagar. Un buen agente de seguros comienza presentando un plan que paga mucho, pero ofrece los mejores beneficios, luego sigue moviéndose a los planes de seguros de menos costo y menos beneficios.

Cuando uno no puede lograr exactamente lo que quiere, por lo menos si se es flexible, se puede conseguir algo. Los líderes tienen que aprender a negociar con sus juntas. El comunicador que es flexible logra mucho éxito.

El comunicador debe tener dirección en lo que dice. El estar brincando de un pensamiento a otro sin ninguna ilación, confunde y desorienta a los oyentes. Termine lo que comienza diciendo. Muchos predicadores nunca completan sus ideas. De un pasaje bíblico se catapultan al otro, de ese otro a otro y así consecutivamente.

El comunicador debe ser un buen mayordomo del tiempo. El gastar el tiempo de otros es ser desconsiderados. El comunicador que respeta el tiempo de sus oyentes es apreciado.

El comunicador debe ser contextual. Finalmente diré que aquellos que han aprendido a contextualizar su discurso o sermón en las realidades convivenciales de su audiencia gozan de mucho éxito como comunicadores. Todo comunicador tiene que aprender a descontextualizarse de algunas de sus propias realidades y percepciones, para poder ubicarse en el contexto inmediato de sus oyentes.

La comunicación tiene como finalidad el decir algo para ser escuchado. Cualquier otro propósito que se tenga, por mejor que parezca, es incorrecto. Los comunicadores simples, son los que en realidad mueven a la acción de parte de los oyentes. Los comunicadores complicados impresionan, pero cuando se buscan los resultados son nulos.

El evangelio de Jesucristo es simple y debe comunicarse de manera simple a personas que son simples, por predicadores simples. Pablo dijo: "Y yo hermanos, cuando fui a vosotros, no fui anunciaros el testimonio de Dios, no fui con excelencia de palabras o de sabiduría. Pues me propuse no saber entre vosotros cosa alguna sino a Jesucristo, y a éste crucificado. Y estuve entre vosotros con debilidad, y mucho temor y temblor; y ni mi palabra ni mi predicación fue con palabras persuasivas de humana sabiduría, sino con demostración del Espíritu de poder, para que vuestra fe no esté fundada en la sabiduría de los hombres, sino en el poder de Dios" (1 Corintios 2:1-5).

BOSQUEJO

Introducción:

Por muchos años fui agente de seguros de la prestigiosa compañía John Hancock Mutual Life Insurance. Mi salario estaba basado en las comisiones que recibía de la venta de seguros. Yo determinaba lo que ganaba. El factor tiempo no era lo determinante de mi salario. ¿Sabe qué era lo determinante? La manera en que yo pudiera comunicar a personas las necesidad y las ventajas de tener los beneficios de seguro de vida. Antes de vender el producto tenía que vender la idea. Esa idea se filtraba a través de mi personalidad. El orden de prioridades que se nos enseñaba era: Primero, el cliente. Segundo, el agente. Tercero, la compañía. Los agentes en la práctica invierten esto: Primero, el agente. Segundo, la compañía. Tercero, el cliente. El asunto era que el cliente tenía que sentir que él o ella eran primero que el agente.

Las relaciones humanas giran en torno a las comunicaciones. El más alto porcentaje de nuestra vida está ocupado por las comunicaciones. Esto nos indica cuán importante es saber cómo, dónde y cuándo comunicar.

1. *El comunicador debe ser original.* Dios nos ha hecho muy singulares. Es en esa diferencia que tenemos la ventaja de comunicar como nadie más podría comunicar.

2. *El comunicador debe revelar confianza al hablar.* El comunicador debe tener confianza en Dios, confianza

en sí mismo, confianza en el que le escucha, confianza en que será escuchado, confianza en que otros apreciarán lo que dirá, confianza en que hará lo mejor que pueda.

3. *El comunicador debe estar bien preparado para hablar.* Debe haber estudiado bien su tema y tener sus notas bien organizadas.

4. *El comunicador debe dejarse ver por los oyentes.* La presencia del orador frente a la audiencia ayudará a calmar toda tensión y curiosidad.

5. *El comunicador debe preparar bien sus notas antes de hablar.* Cuando llegue al podio debe tener sus notas ya preparadas.

6. *El comunicador debe mirar a sus oyentes.* El contacto visual hace la comunicación más personal.

7. *El comunicador debe comenzar a hablar sin referirse a las notas.* Esto producirá un diálogo amistoso e íntimo entre orador y oyente. La introducción y la conclusión en un discurso o sermón es algo que un orador no debe leer.

8. *El comunicador debe hablar a sus oyentes.* El orador debe dar la impresión de ser espontáneo. Así se producirá un intercambio intelectual, emotivo, afectivo y espiritual.

9. *El comunicador debe recurrir ocasionalmente a sus notas.* Las notas se deben usar cuando se necesitan. Se debe cultivar la habilidad de mirar las notas y luego decirlas mirando a los oyentes. Pero no decirlas mientras está leyendo.

10. *El comunicador debe evitar cortar sus pensamientos.* Debe evitar toda clase de muletillas al estar hablando.

Las "muletillas" son empleadas por los comunicadores para buscar ideas.

11. *El comunicador debe mantener una postura apropiada.* Un orador parado derecho y con su cabeza erguida representa autoridad (autoridad externa).

12. *El comunicador debe ser natural en los gestos.* Nuestros gestos contagian.

13. *El comunicador debe superar su nerviosismo.* El nerviosismo se supera descubriéndolo. El orador ante un auditorio se debe mostrar con una actitud positiva y actuar como si no estuviera nervioso.

14. *El comunicador debe dar la impresión de que se está gozando cuando habla.* Las audiencias son como radares, detectan cuando el orador experimenta lo que está diciendo.

15. *El comunicador debe saber disimular sus errores.* Si comete un error continúe con naturalidad y corríjalo tan pronto tenga la oportunidad.

16. *El comunicador debe emplear las ayudas visuales efectivamente.* Las ayudas visuales deben estar bien organizadas. No se debe hablar a las láminas sino a los oyentes.

17. *El comunicador debe hablar con volumen.* El que está sentado en el último asiento desea escuchar al orador así como el que está en el primer asiento.

18. *El comunicador cuando termina de hablar debe abandonar la plataforma con confianza.* Muchos arruinan su discurso o sermón metiéndole la daga de las excusas por la espalda. Hay que regresar al asiento con entusiasmo. No se aleje del púlpito o podio muy rápido. El orador debe recoger sus notas y regresar a su asiento como llegó.

19. *El comunicador debe estar consciente de aquellas áreas en su vida que necesitan ser mejoradas.* Debemos admitir a otros lo que sabemos y lo que no sabemos.

20. *El comunicador no debe estar siempre repitiendo lo mismo.* Las introducciones y las conclusiones no pueden ser estereotipadas. La ilustración que tuvo éxito con alguien, quizás no lo tenga con otro.

21. *El comunicador debe observar a sus oyentes.* La meta del comunicador no es simplemente ser oído, sino ser escuchado.

22. *El comunicador debe ser paciente.* Todo buen comunicador procura adaptar su velocidad al paso de retención de los demás.

23. *El comunicador debe mostrar consideración hacia los oyentes.* El estar regañando y criticando a los oyentes es algo que enfada y se debe evitar.

24. *El comunicador debe ser claro en sus ideas.* Cuando alguien entiende lo que decimos hay comunicación.

25. *El comunicador debe emplear un vocabulario fácil de ser comprendido.* Hay que comunicar dentro del contexto cultural, académico, religioso, profesional y social de nuestros oyentes.

26. *El comunicador debe ser agradecido.* Haga a otros sentirse bien y verá cómo se los gana. Una cosa tan simple como el dar gracias aceita la comunicación.

27. *El comunicador debe controlar su temperamento.* Cuando nos alteramos otros responderán a nosotros alterados.

28. *El comunicador debe ser persuasivo.* La persuasión es la llave para que alguien pueda hacer las cosas bien y en el tiempo requerido.

29. *El comunicador debe tener cuidado con hablar en broma.* No sugiera en bromas cosas que otros pudieran creerlas.

30. *El comunicador debe estar seguro de los hechos.* Si no está seguro de algo, por favor no lo diga.

31. *El comunicador debe aprender a mostrarse interesado en lo que otros dicen.* En casi todas las juntas siempre encontramos a uno de esos que parecen "motores apagados". No motivan a los demás. Se muestran desinteresados.

32. *El comunicador no debe exagerar.* El inflar cifras o hacer las experiencias más sensacionales se debe evitar.

33. *El comunicador debe evitar hablar con estereotipos o generalizaciones.* El estar ofendiendo a un grupo produce tensión y rechazo. Por otro lado el estar encomiando es algo que despierta sospechas hacia el comunicador.

34. *El comunicador debe pensar antes de hablar.* Muchos hablan y después piensan en lo que hablaron.

35. *El comunicador debe aprender a escuchar a los demás.* Cuando se rechaza lo que otros dicen, la comunicación se apaga. Dios nos dio una sola boca, pero dos oídos. ¿Sabe por qué? Porque debemos escuchar más de lo que hablamos.

36. *El comunicador debe respetar las decisiones de otros.* No obligue técnicamente a nadie a decirle que sí.

37. *El comunicador debe ser preciso y llegar a dónde quiere.* No tome más del tiempo necesario para explicar o decir algo.

38. *El comunicador debe aceptarse tal y como Dios lo hizo.* Deje de criticarse. No esté mostrando sus faltas a los demás para que sientan pena por usted.

39. *El comunicador debe aprender a perder.* Cuando esté en una reunión y su moción o resolución sea derrotada, no salga disgustado.

40. *El comunicador debe observar las reacciones de los demás.* Por la reacción de una persona podemos tener una idea de lo que quiere, piensa, hará, siente o desea, si está interesado o desinteresado.

41. *El comunicador debe procurar que se le entienda.* Cuando algo es de suma importancia lo debe repetir varias veces, explicándolo y aclarándolo.

42. *El comunicador debe mostrar atención a su interlocutor.* Cuando una persona se siente ignorada por otro, el deseo de hablar se le quita.

43. *El comunicador debe ser sensitivo.* El ser sensitivo es ponernos en el lugar de los demás, es empatizar. Muchas veces somos egoístas transitando por nuestra propia autopista.

44. *El comunicador debe aprender a no reaccionar negativamente al rechazo.* La opinión de la gente no se puede encadenar con nuestros criterios.

45. *El comunicador debe saber cuándo hablar con un tono negativo.* Sepa cuándo decir algo que no le gustará a una persona, pero es necesario que usted se lo diga.

46. *El comunicador debe evitar el estar mencionando sus problemas.* Cuando uno se pasa hablando de los problemas personales frente a otros, esto los molesta.

47. *El comunicador debe ser flexible en lo que dice.* Debemos estar dispuestos a hacer cambios necesarios

si nos damos cuenta que en la comunicación no estamos alcanzando ningún resultado.

Cuando uno no puede lograr exactamente lo que quiere, por lo menos si se es flexible, se puede conseguir algo. Los líderes tienen que aprender a negcciar con sus juntas. El comunicador que es flexible logra mucho éxito.

48. *El comunicador debe tener dirección en lo que dice.* El estar brincando de un pensamiento a otro sin ninguna ilación, confunde y desorienta a los oyentes.

49. *El comunicador debe ser un buen mayordomo del tiempo.* El gastar el tiempo de otros es ser desconsiderado.

50. *El comunicador debe ser contextual.* Todo comunicador tiene que aprender a descontextualizarse de algunas de sus propias realidades y percepciones, para poder ubicarse en el contexto inmediato de sus oyentes.

Conclusión: El evangelio de Jesucristo es simple y se debe comunicar de manera simple a gente que son simples por predicadores simples.

BIBLIOGRAFIA

Arrastía, Cecilio. *La Biblia de estudio mundo hispano.* Editorial Mundo Hispano, 1977.

Blackwood, A. W. *La preparación de sermones bíblicos.* Casa Bautista de Publicaciones, 1981.

Broadus, Juan A. *Tratado sobre la predicación.* Casa Bautista de Publicaciones, 1981.

Carnagie, Dale. *How to Develope Self-Confidence and Influencing People* by Public Speaking. Pocket Books: New York, 1956.

Chartier, Miron R. *Preaching As Communication.* Abingdon Preacher's Library: Nashville, Tennessee, 1981.

Coffin, Roy A. *The Communicator.* Barnes & Noble Books, 1976.

Costas, Orlando E. *Comunicación por medio de la predicación.* Editorial Caribe: Miami, Florida, 1973.

Fletcher, Leon. *How to Speak Like a Pro.* Ballantine Books: New York, 1983.

Silva, Kittim. *Bosquejos para predicadores*, Vol. I. Editorial. CLIE: Terrassa, España, 1985.

Silva, Kittim. *Bosquejos para predicadores, Vol. II*. Editorial CLIE: Terrassa, España, 1985.

Martínez, José M. *Ministros de Jesucristo* (tomo XI-Vol. 1). Editorial CLIE: Terrassa, España, 1977.

Spurgeon, C.H. *Discursos a mis estudiantes*. Casa Bautista de Publicaciones.

Spurgeon, C.H. *Un Ministerio Ideal*, Tomo 2. Editorial El Estandarte de la Verdad, 1983.

Vila, Samuel. *Manual de Homilética*. Editorial CLIE: Terrassa, España, 1970.

Acerca del autor

KITTIM SILVA

Diploma en Biblia (Instituto Bíblico Internacional, 1974); Certificado en Ministerio Cristiano (New York Theological Seminary. 1978); B.A. en Humanidades (College of New Rochelle, 1980); M.P.S. en Ministerio (New York Theological Seminary, 1982).